★ 마법처럼 술술 풀리는 단계별 연산 교재 ★

이젠 연산왕

연산에서 문장제까지
한 권으로 끝내기

지루할 틈이 없어요

- 친숙한 생활 소재들의 시각화 연산
- 칭찬 스티커로 학습 동기 부여

학습 관리가 편해요

- 5일 동안, 하루 3쪽 분량으로 매일 체크 가능
- 주별 반복 학습 문제 제공

수학의 기초는 이젠 연산왕으로 충분해요

- 유아부터 초등까지 단계별 완벽마스터

P1 P2 P3 A B C

KB025355

자세한 단계 진도 연산
이젠 연산왕

빠른 학기 드릴 연산
쌍둥이 연산노트

재미있는 만화수학교과서
이젠 꼭 필요한 초등수학

우리 만나요!!

도서 관련 질문도
학습 고민도
다양한 소식도
인스타그램에서 만날 수 있어요.

낱권 8,000원 | **세트** 48,000원

이젠교육
EZEN EDUCATION

시작하면 끝까지 보는
이젠 꼭 필요한 초등수학 시리즈

초등 1학년 | 초등 2학년 | 초등 3학년 | 초등 4학년

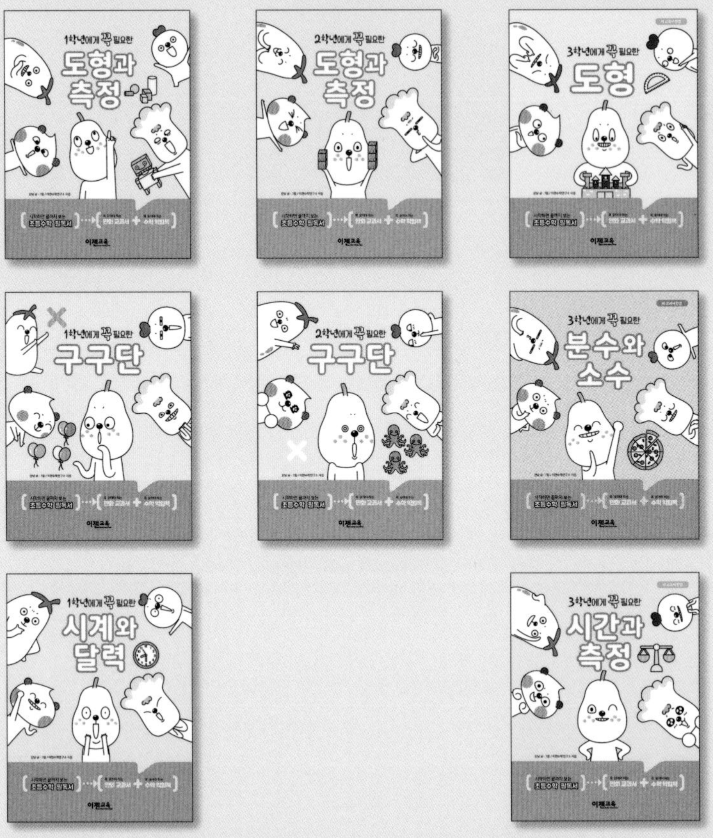

의 책이에요!

제 품 명: 3학년에게 꼭 필요한 시간과 측정
제조자명: 이젠교육
제조국명: 대한민국
제조년월: 판권에 별도 표기
사용학년: 8세 이상
※ KC마크는 이 제품이 공통안전기준에 적합하였음을 의미합니다.

값 16,000원 (2권 세트)
63410
9 791190 880701
ISBN 979-11-90880-70-1

4학년에게 꼭 필요한

도형

[수학 익힘책]

구성과 특징

● **4학년에게 꼭 필요한 수학 익힘책**

수학 교육 트렌드에 맞게 수학 교육과정을
영역별 중요 단원으로 모아 계통 학습이 가능한
혼공 시대에 꼭 필요한 수학 테마 학습법입니다.

주제별 4쪽 기초 학력 강화!

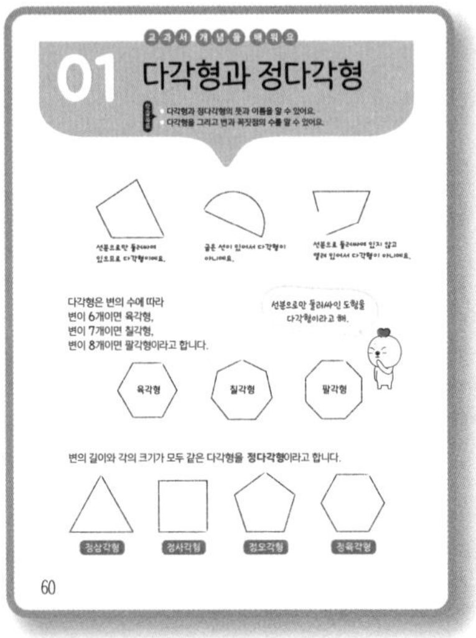

1 개념을 배워요

키워드 개념 학습으로 그림과
구조화된 개념 설명을
캐릭터를 이용하여 재미있게
이해하는 습관을 길러요!

2 문제로 개념을 확인해요

다양한 활동 학습으로
정확하고 빠르게 푸는 습관을 길러요!

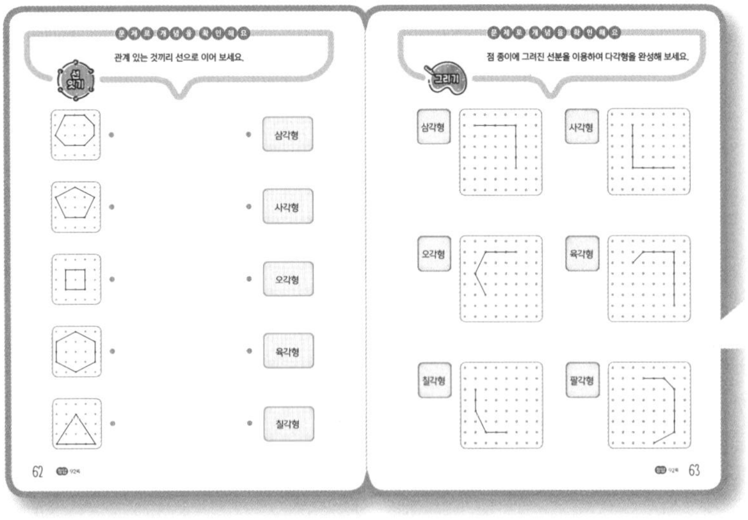

단원별 기초 문장제, 마무리 정리 학습!

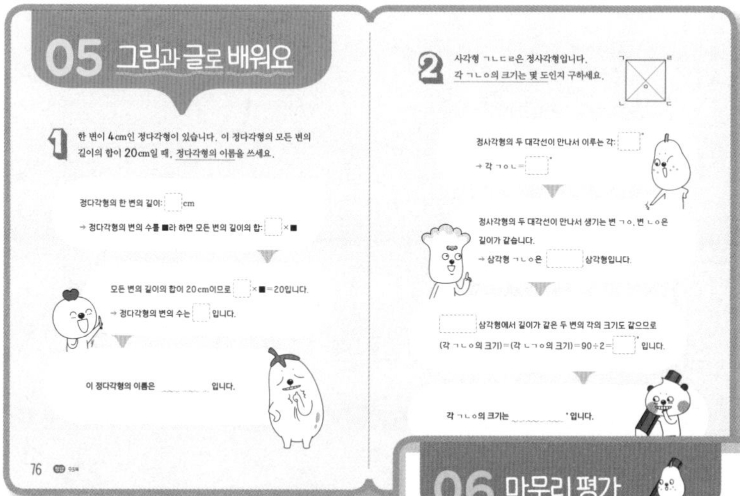

3

그림과 글로 배워요

그림을 이용한 문장제로 사고를 통해 해결하는 습관을 길러요!

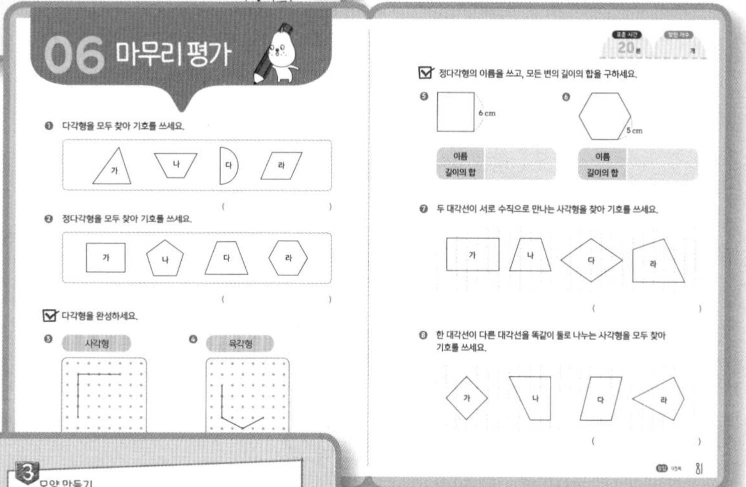

4

마무리 평가

자신의 학업 성취도를 평가해요!

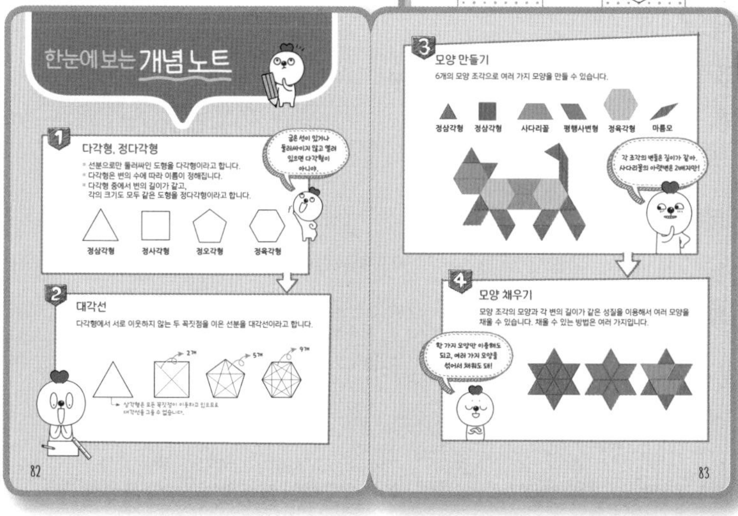

5

한눈에 보는 개념 노트

계통별로 핵심 개념을 정리해요!

차례

4학년에게 꼭 필요한
도형

1. 삼각형과 사각형

구분	단원명	내용
4학년 2학기	삼각형	• 여러 가지 모양의 삼각형에 대한 분류 활동을 통하여 이등변삼각형, 정삼각형을 이해할 수 있습니다. • 여러 가지 모양의 삼각형에 대한 분류 활동을 통하여 직각삼각형, 예각삼각형, 둔각삼각형을 이해할 수 있습니다.
4학년 2학기	사각형	• 직선의 수직 관계와 평행 관계를 이해할 수 있습니다. • 여러 가지 모양의 사각형에 대한 분류 활동을 통하여 직사각형, 정사각형, 사다리꼴, 평행사변형, 마름모를 알고, 그 성질을 이해할 수 있습니다.

2. 다각형

구분	단원명	내용
4학년 2학기	다각형	• 다각형과 정다각형의 의미를 알 수 있습니다. • 대각선의 뜻을 알고 여러 가지 다각형에 대각선을 그을 수 있습니다. • 주어진 도형을 이용하여 여러 가지 모양을 만들거나 채울 수 있습니다.

1. 삼각형과 사각형

지도 가이드

삼각형 4학년 2학기

1. 삼각형을 변의 길이에 따라 분류하고, 이등변삼각형과 정삼각형의 성질을 알고 그릴 수 있습니다.
2. 삼각형을 각의 크기에 따라 분류하고 예각삼각형과 둔각삼각형을 알 수 있습니다.
3. 삼각형을 변의 길이와 각의 크기 두 가지 기준으로 분류할 수 있습니다.

사각형 4학년 2학기

1. 수직을 알고, 수선을 그을 수 있고, 평행을 알고 평행선을 그을 수 있습니다.
2. 평행선 사이의 거리를 이해하고, 평행선이 있는 도형인 사다리꼴, 평행사변형, 마름모, 직사각형과 정사각형의 성질을 알 수 있습니다.

학습 계획표

번호	쪽수	공부한 날	성취도
01	8~11쪽	월 일	☺ 😐 ☹
02	12~15쪽	월 일	☺ 😐 ☹
03	16~19쪽	월 일	☺ 😐 ☹
04	20~23쪽	월 일	☺ 😐 ☹
05	24~27쪽	월 일	☺ 😐 ☹
06	28~31쪽	월 일	☺ 😐 ☹
07	32~35쪽	월 일	☺ 😐 ☹
08	36~39쪽	월 일	☺ 😐 ☹
09	40~43쪽	월 일	☺ 😐 ☹
10	44~47쪽	월 일	☺ 😐 ☹
11	48~51쪽	월 일	☺ 😐 ☹
12	52~53쪽	월 일	☺ 😐 ☹

교 과 서 개 념 을 배 워 요

01 삼각형을 변의 길이에 따라 분류하기

학습목표 • 삼각형의 변의 길이를 살펴보고 이등변삼각형과 정삼각형을 알 수 있어요.

두 변의 길이가 같은 삼각형을 **이등변삼각형**,
세 변의 길이가 같은 삼각형을 **정삼각형**이라고 합니다.

이등변삼각형

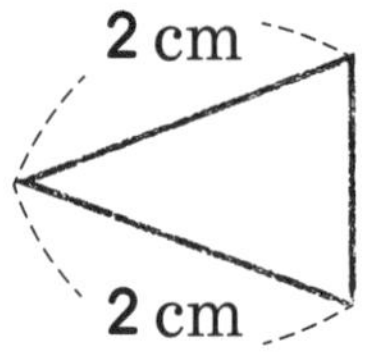

정삼각형

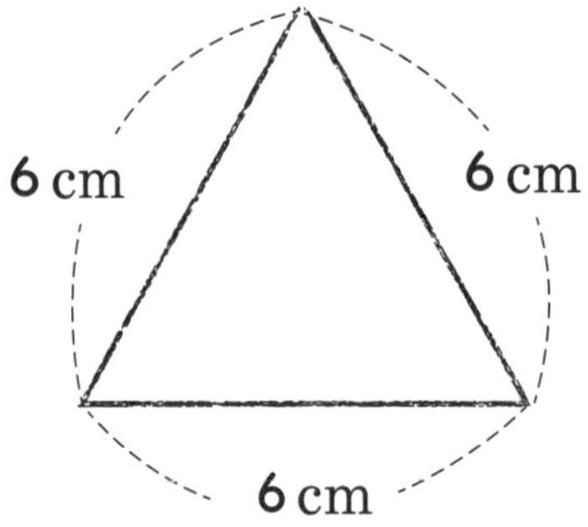

개념 문제 대화를 읽고 맞는 말에 ○표 하세요.

세 사람이 가지고 있는 막대를 세 변으로 하는 삼각형은
(이등변삼각형 , 정삼각형) 입니다.

문제로 개념을 확인해요

쓰기

자를 이용하여 이등변삼각형을 모두 찾아 기호를 쓰세요.

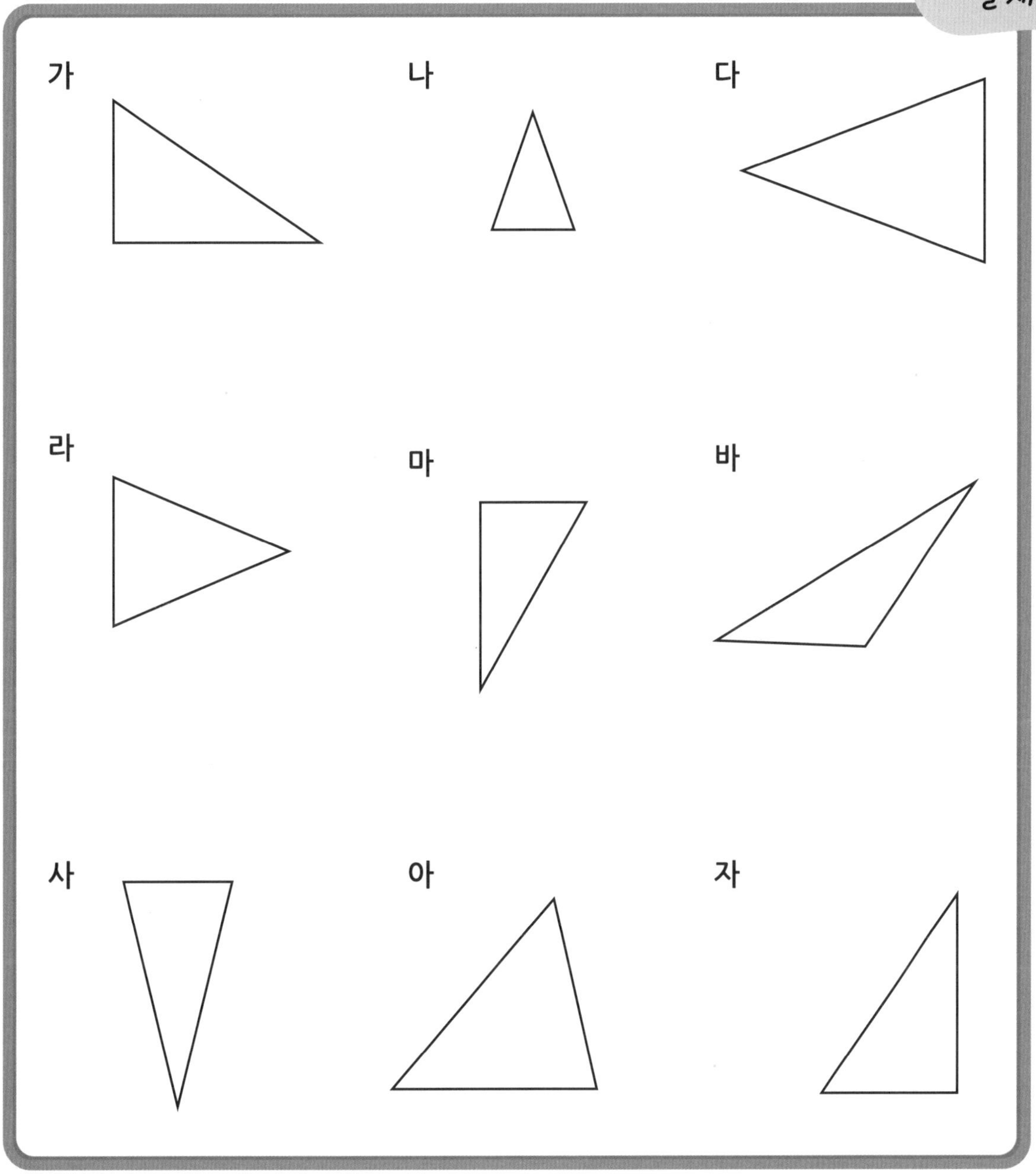

(   )

문제로 개념을 확인해요

색칠하기

자를 이용하여 정삼각형을 모두 찾아 색칠하세요.

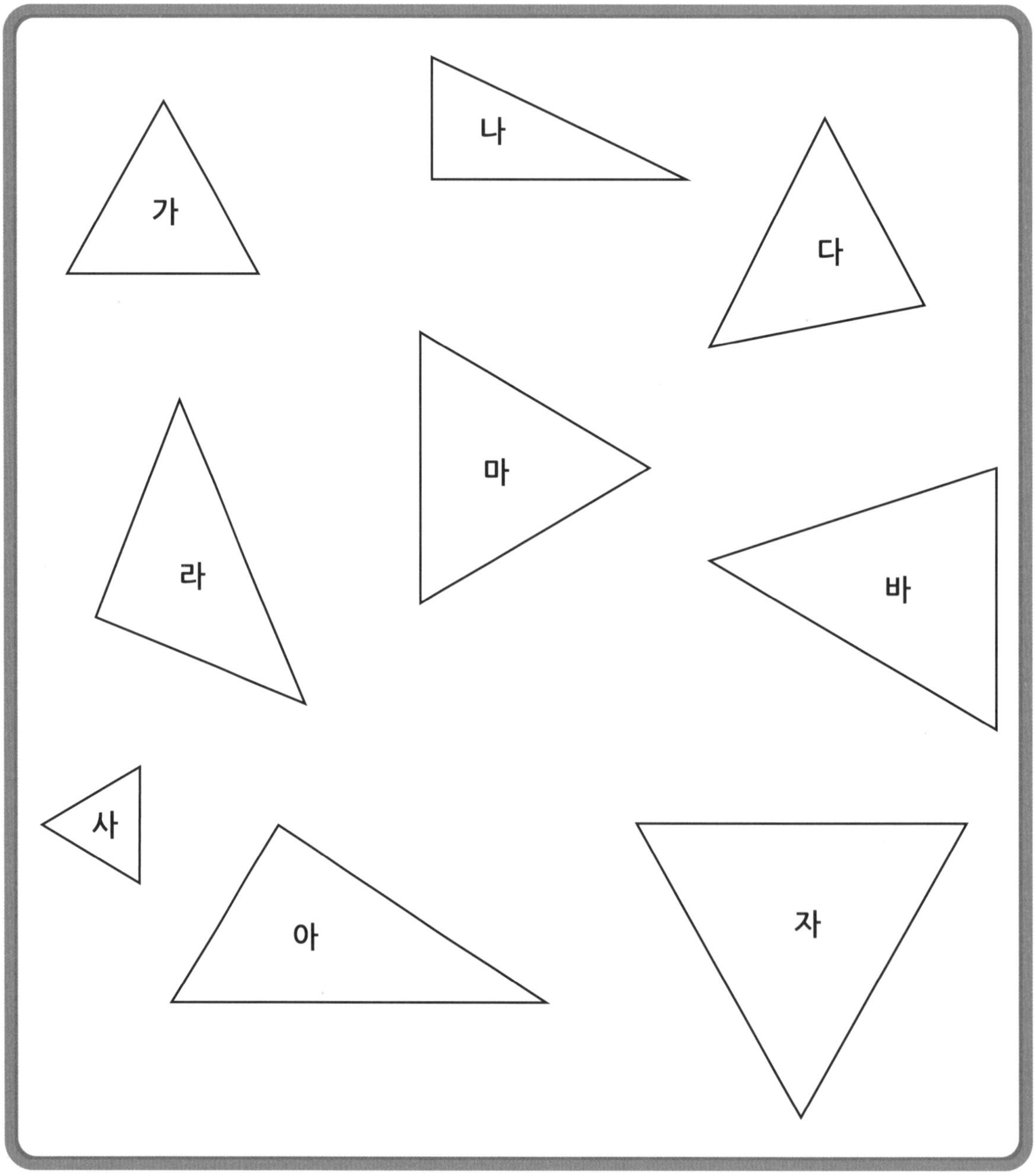

문제로 개념을 확인해요

쓰기

□ 안에 알맞은 수를 써넣으세요.

이등변삼각형

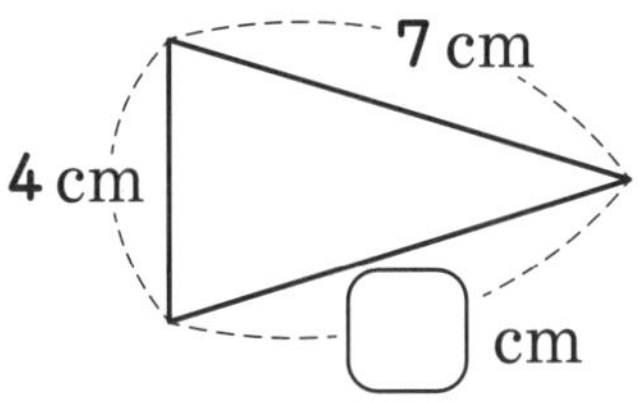

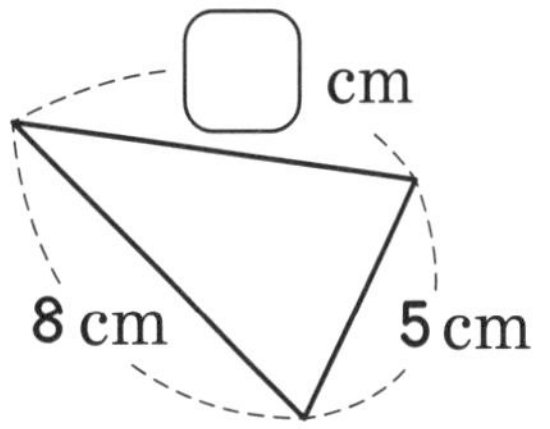

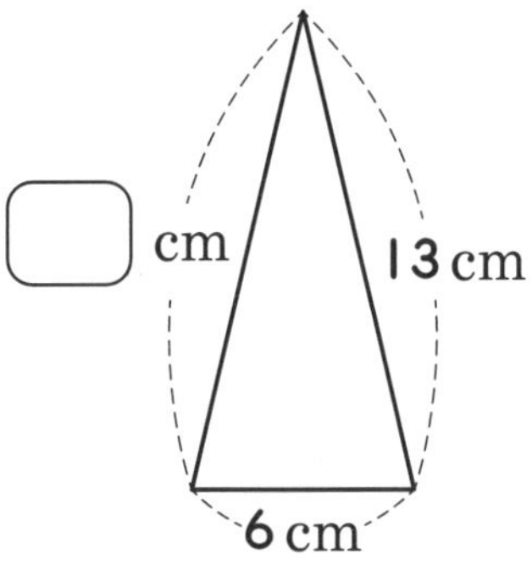

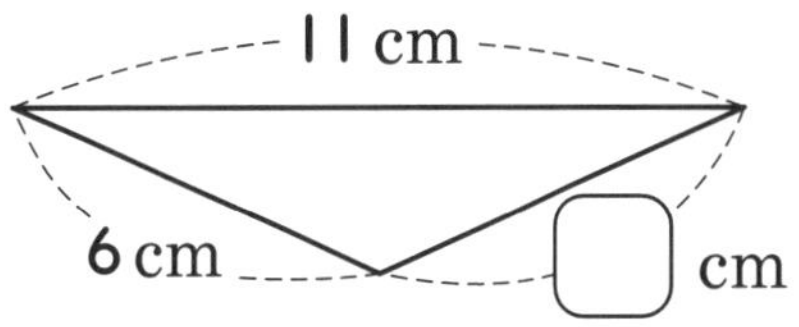

정삼각형

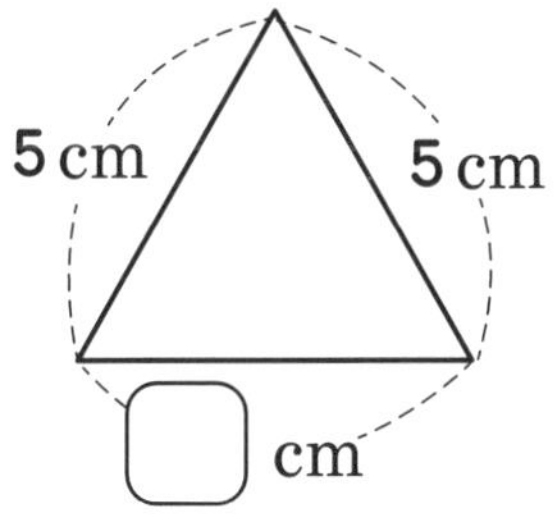

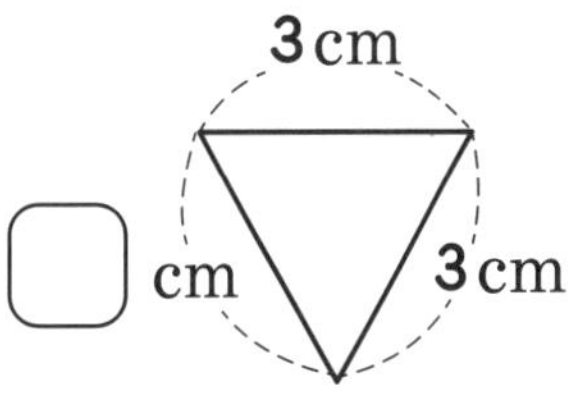

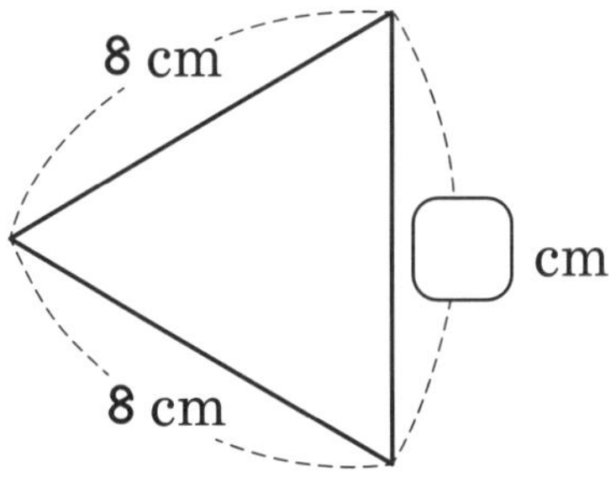

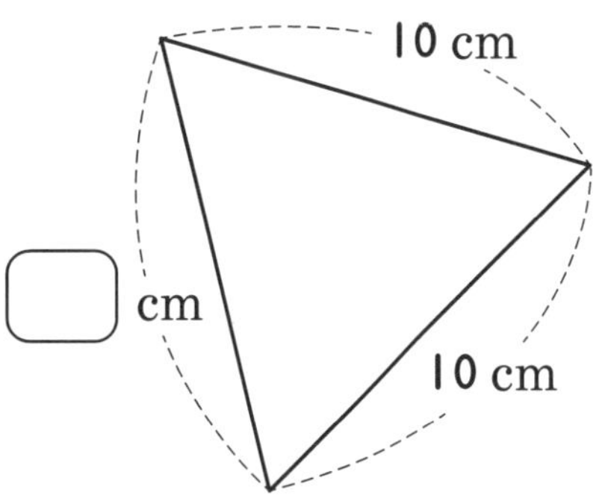

정답 88쪽

교과서 개념을 배워요

02 이등변삼각형의 성질 알고 이등변삼각형 그리기

학습목표
- 이등변삼각형의 성질을 알 수 있어요.
- 자와 각도기로 이등변삼각형을 그릴 수 있어요.

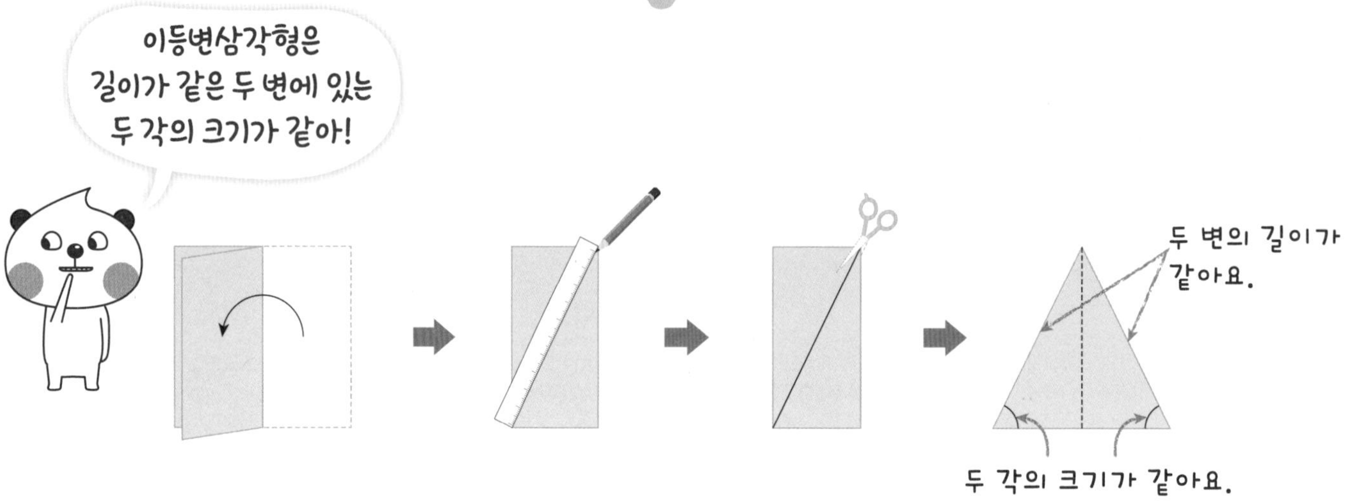

그림과 같이 색종이를 반으로 똑같이 접은 뒤 잘라서 만들었기 때문에 두 변의 길이가 같은 이등변삼각형이 만들어집니다.

① 겹쳐서 잘랐기 때문에 자른 두 변의 길이가 같습니다.

② 길이가 같은 두 변과 함께하는 두 각의 크기가 같습니다.

방법 1 자를 사용하여 길이가 같은 두 변을 그려서 이등변삼각형 그리기

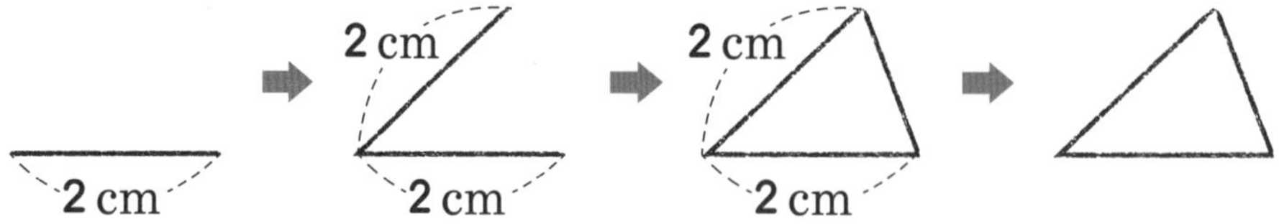

방법 2 자와 각도기를 사용하여 크기가 같은 두 각을 그려서 이등변삼각형 그리기

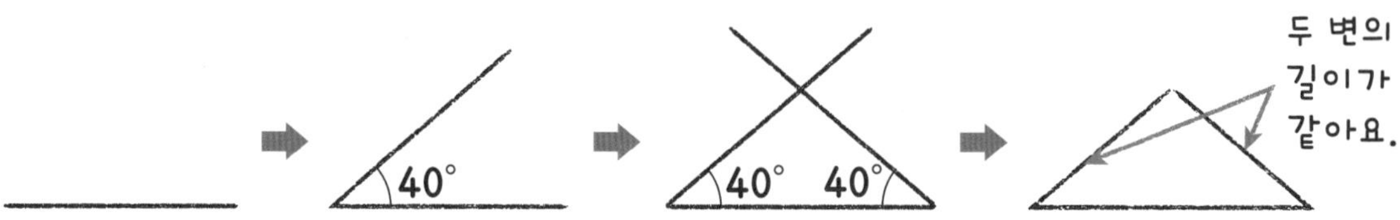

문제로 개념을 확인해요

그리기

주어진 선분을 한 변으로 하는 이등변삼각형을 그리세요.

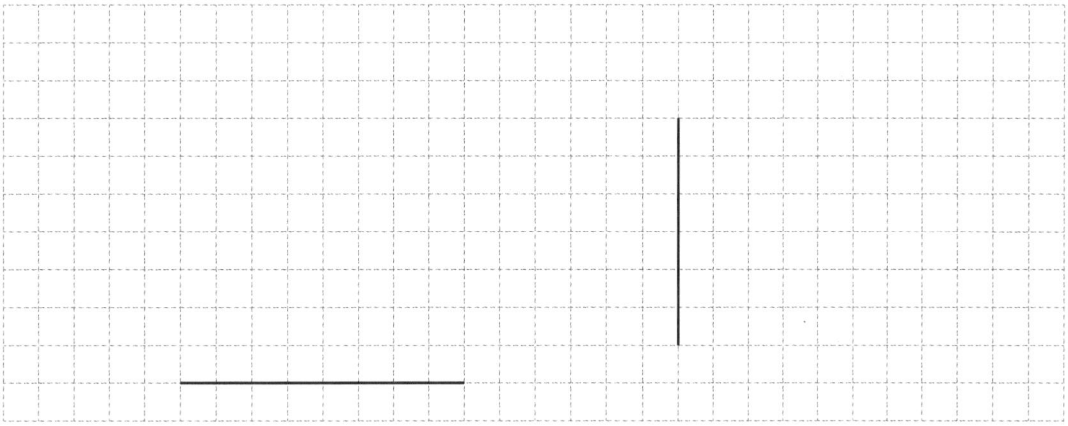

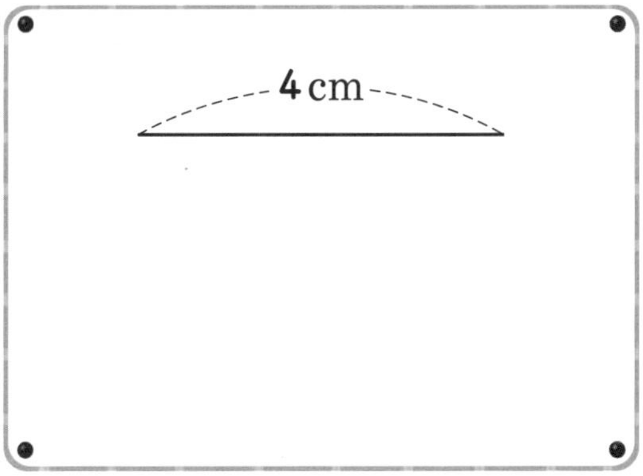

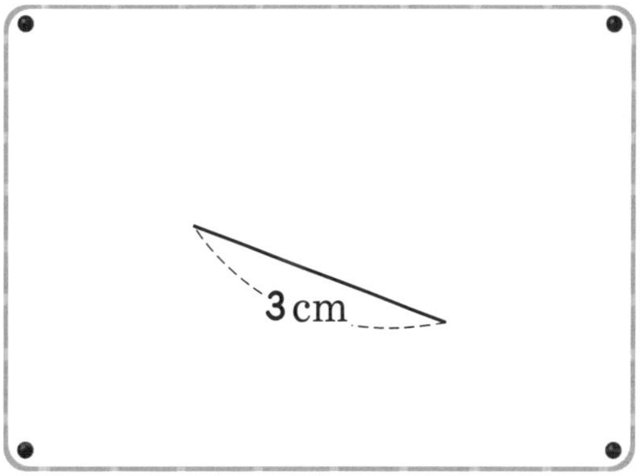

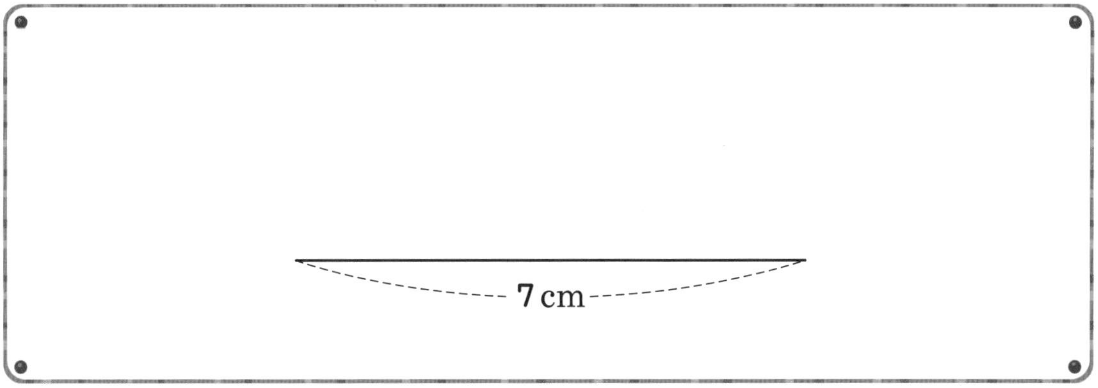

정답 88쪽

문 제 로 개 념 을 확 인 해 요

그리기

주어진 선분과 각도기를 사용하여 이등변삼각형을 그려 보세요.

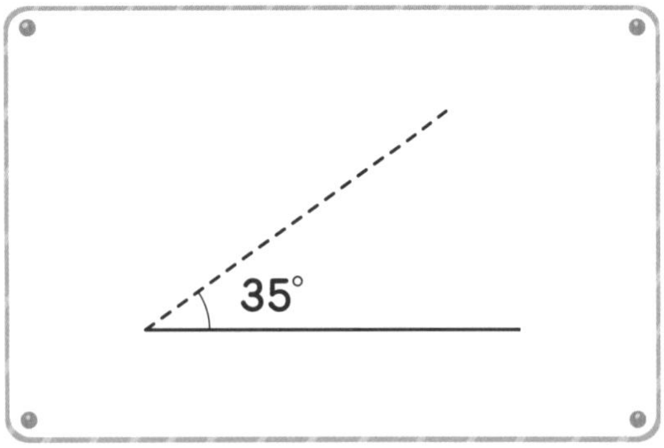

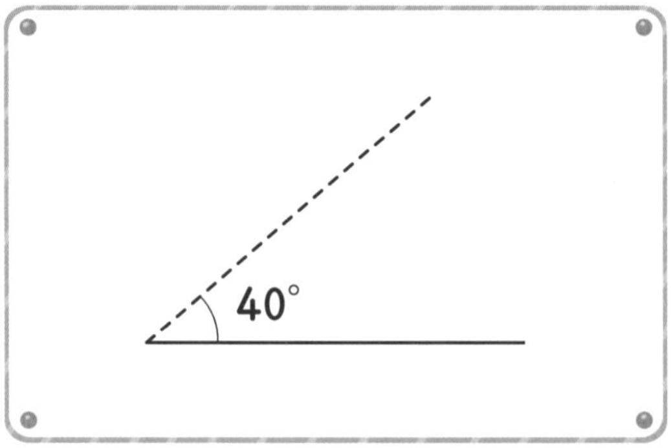

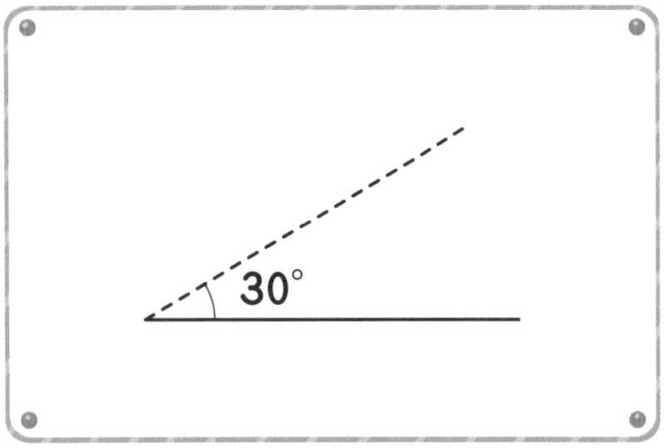

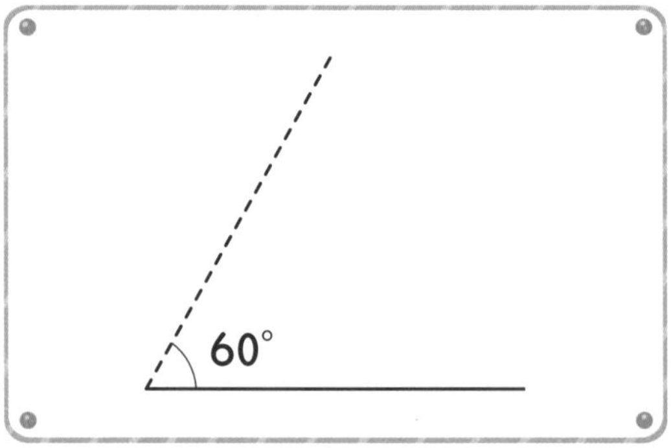

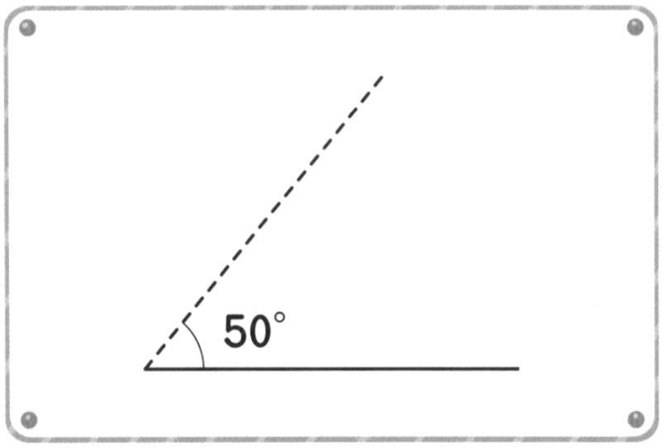

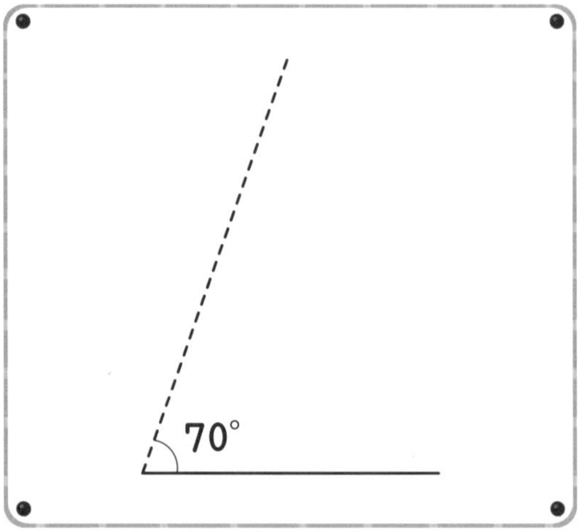

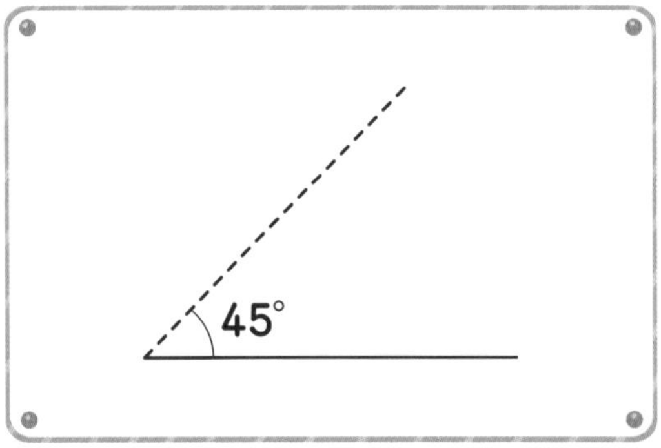

각도기와 자를 사용하여 이등변삼각형을 그려 봐.

문제로 개념을 확인해요

쓰기

다음 도형은 이등변삼각형입니다. □ 안에 알맞은 수를 써넣으세요.

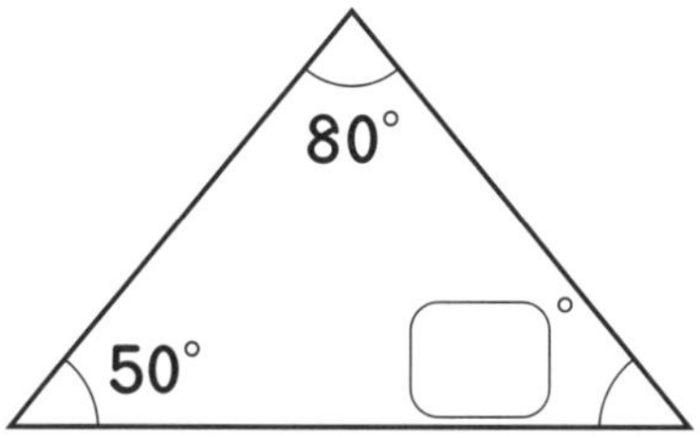

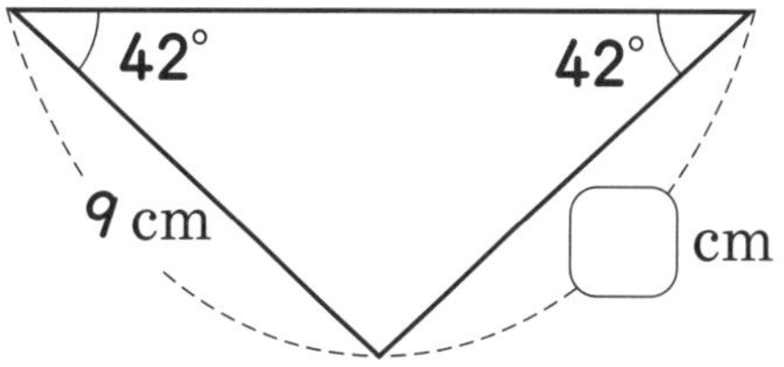

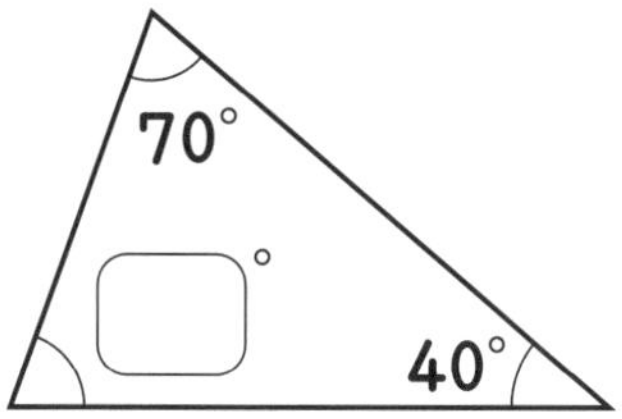

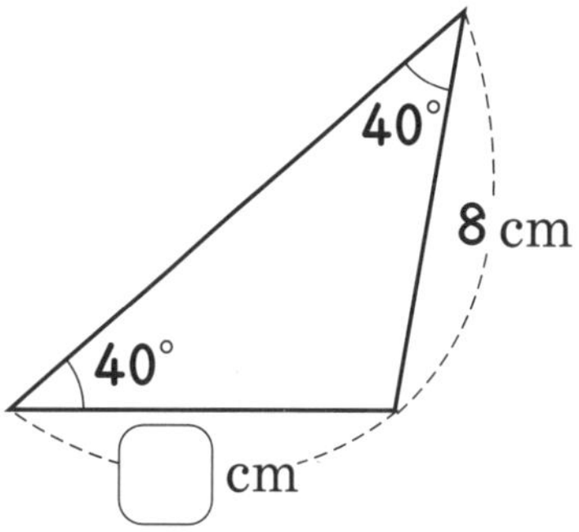

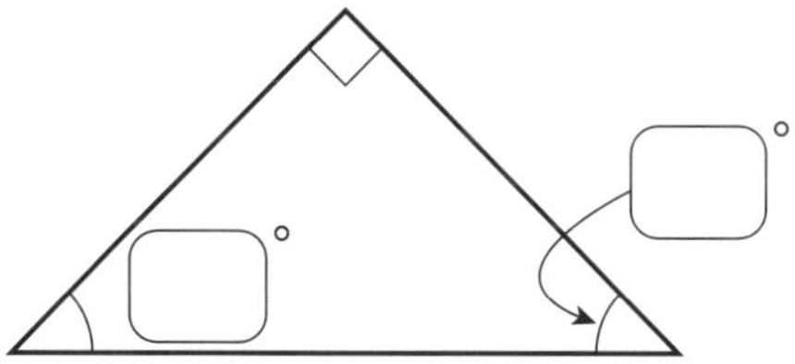

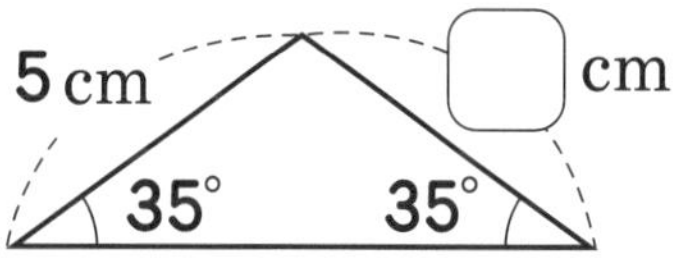

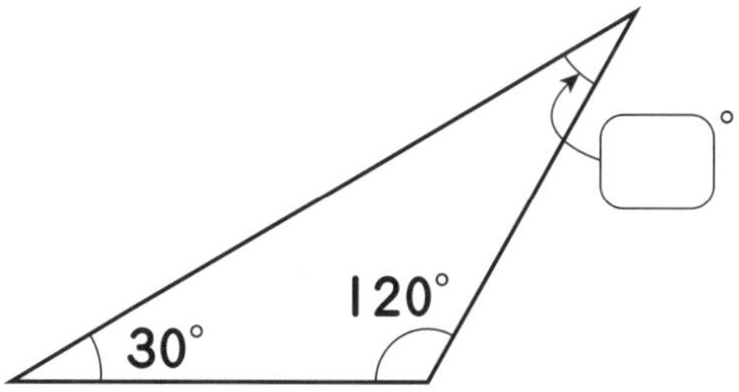

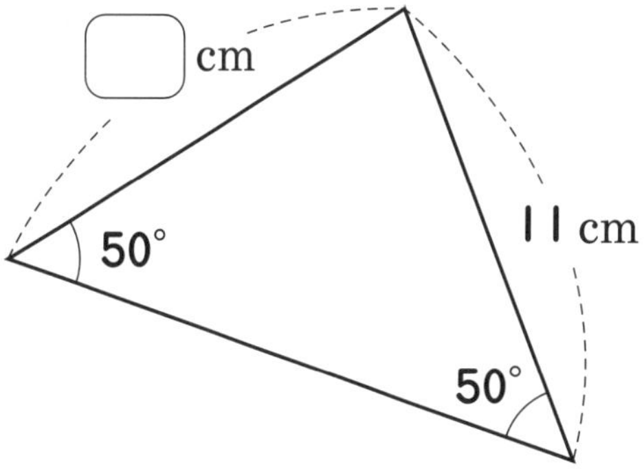

교 과 서 개 념 을 배 워 요

03 정삼각형의 성질 알고 정삼각형 그리기

학습목표
- 정삼각형의 성질을 알 수 있어요.
- 자와 각도기로 정삼각형을 그릴 수 있어요.

삼각형의 세 각의 크기의 합은 180°이므로 정삼각형의 한 각의 크기는 180°÷3=60°예요.

모양과 크기가 달라도 정삼각형의 세 각의 크기를 재어 보면 60°로 모두 같습니다.

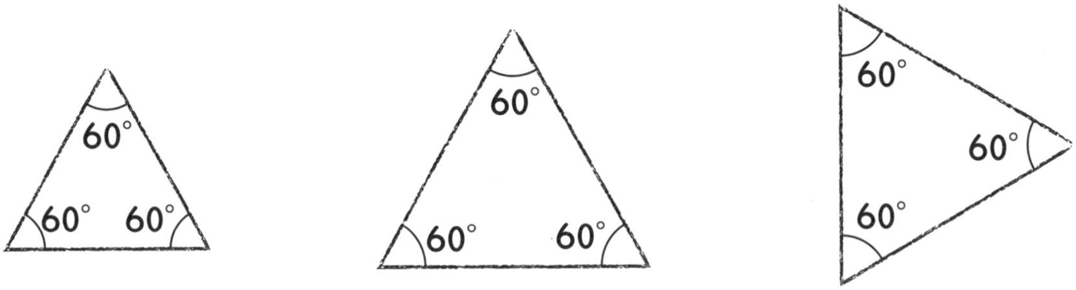

방법 1 길이가 같은 세 변을 그려서 정삼각형 그리기

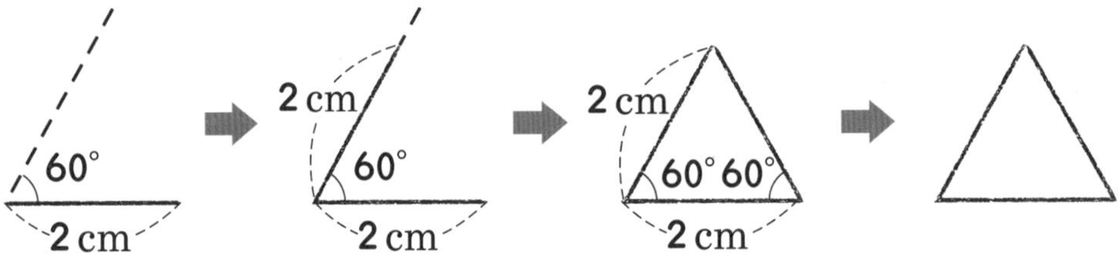

방법 2 선분의 양 끝에 크기가 각각 60°인 각을 그려서 정삼각형 그리기

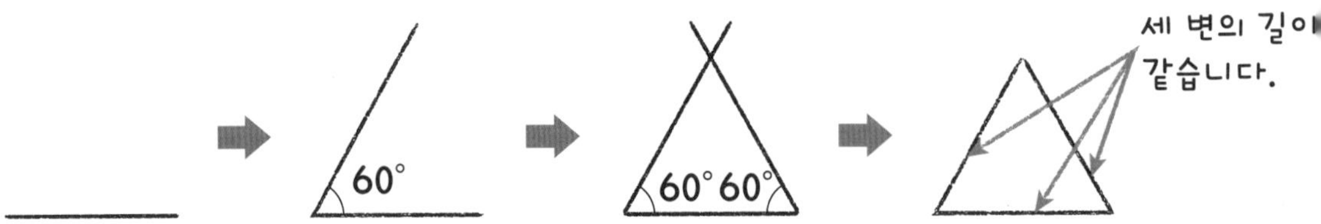

문제로 개념을 확인해요

그리기

주어진 선분을 한 변으로 하는 정삼각형을 그리세요.

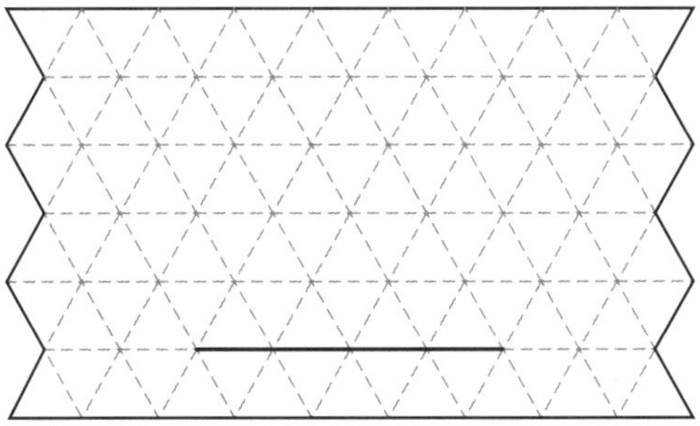

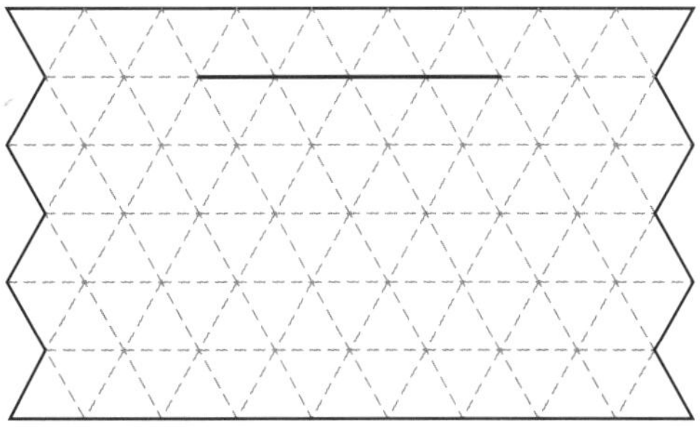

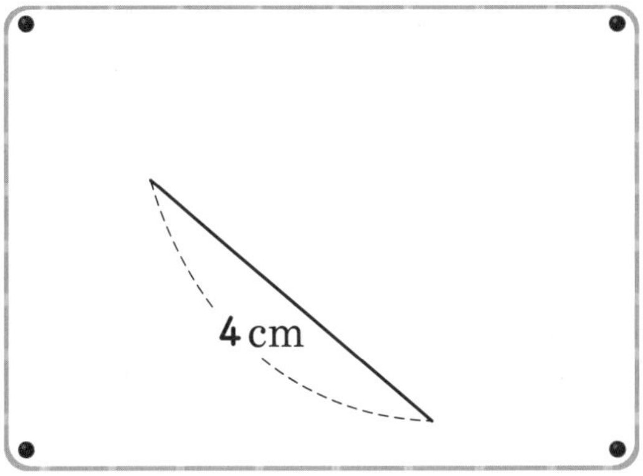

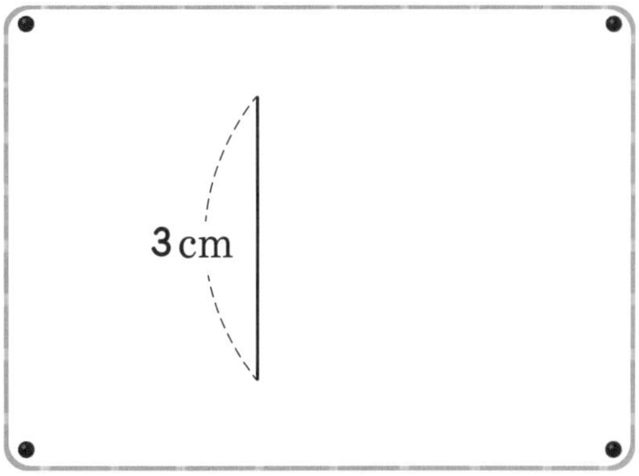

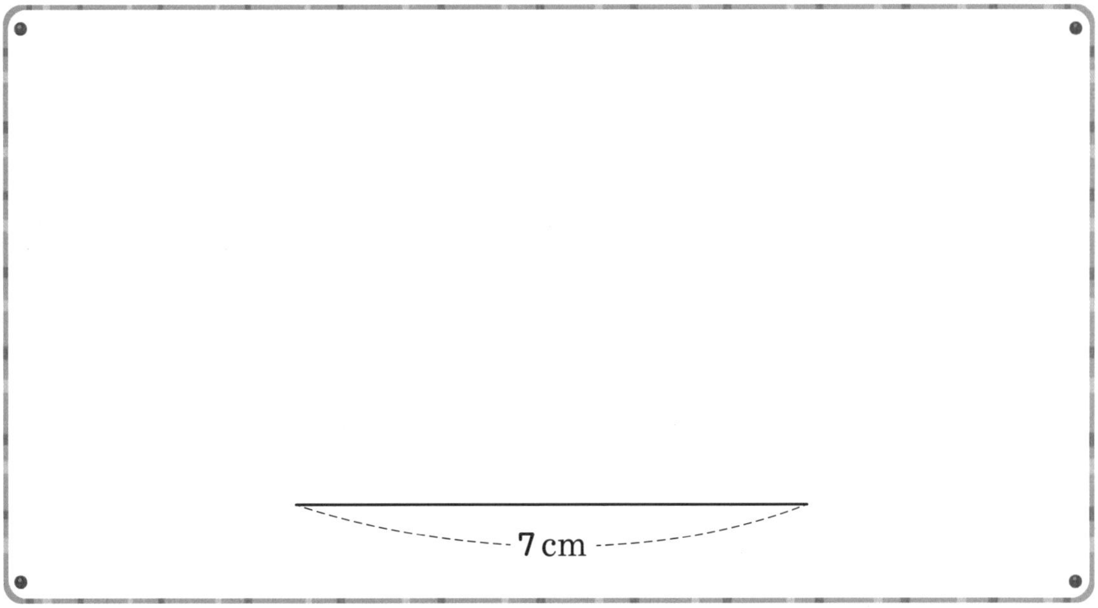

정답 88쪽

문제로 개념을 확인해요

그리기

주어진 선분과 각도기를 사용하여 정삼각형을 그려 보세요.

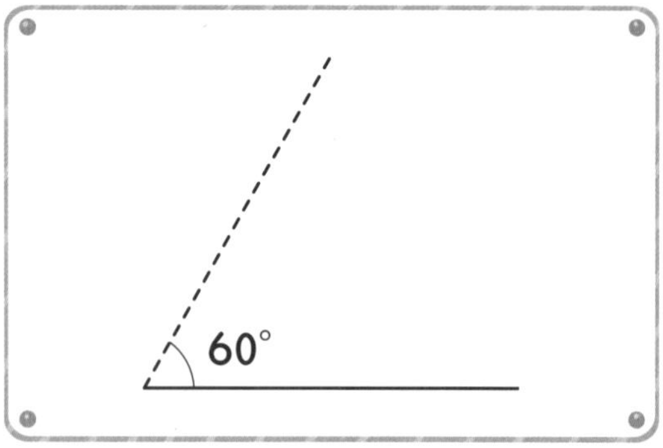

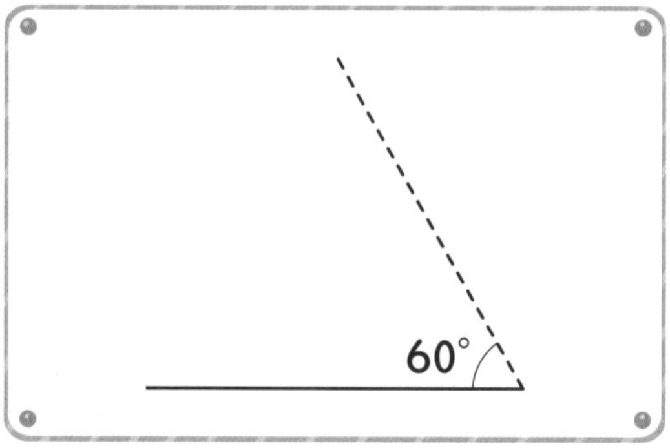

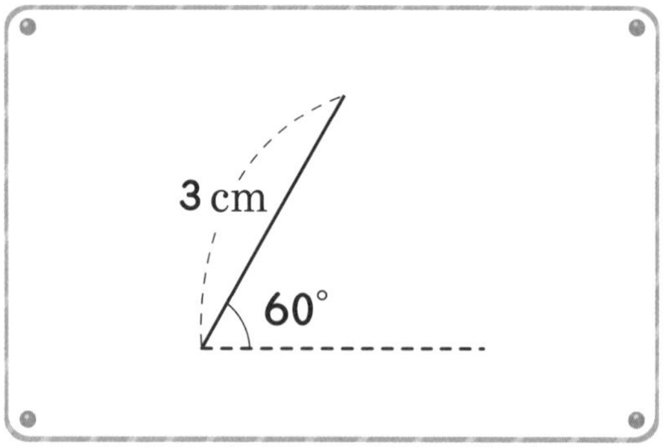

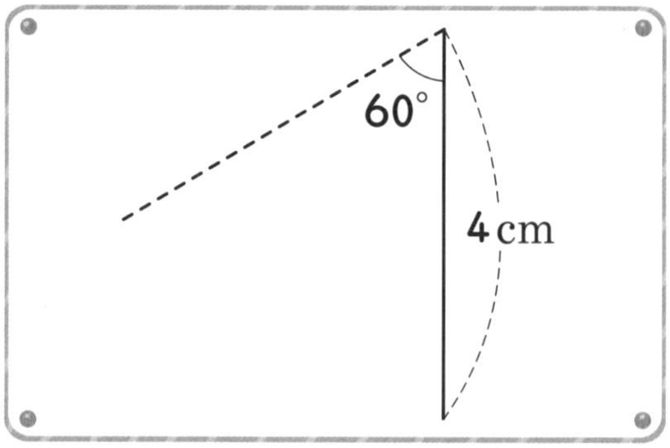

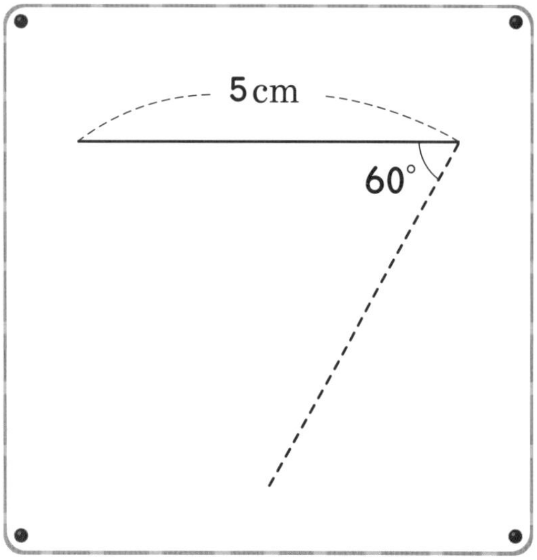

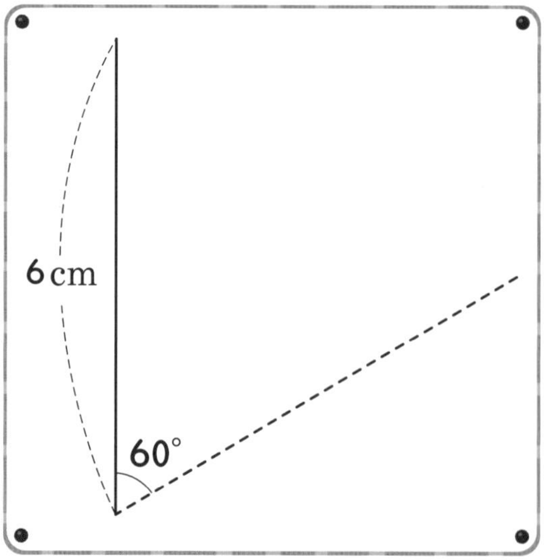

정답 88쪽

문제로 개념을 확인해요

쓰기

다음 도형은 정삼각형입니다. □ 안에 알맞은 수를 써넣으세요.

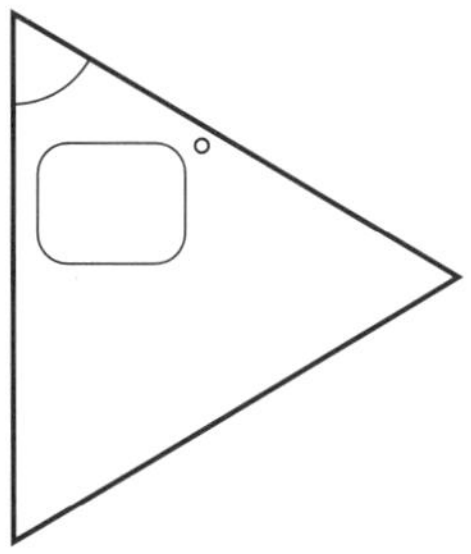

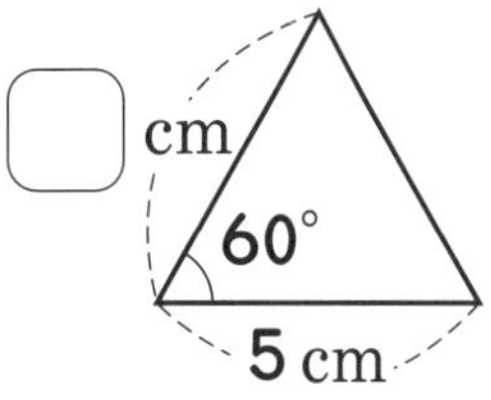

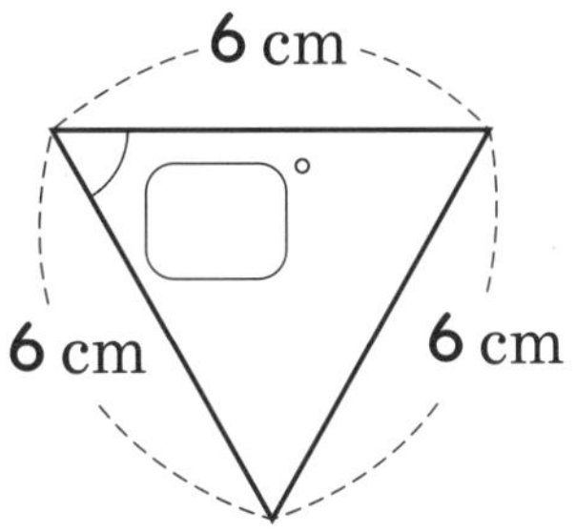

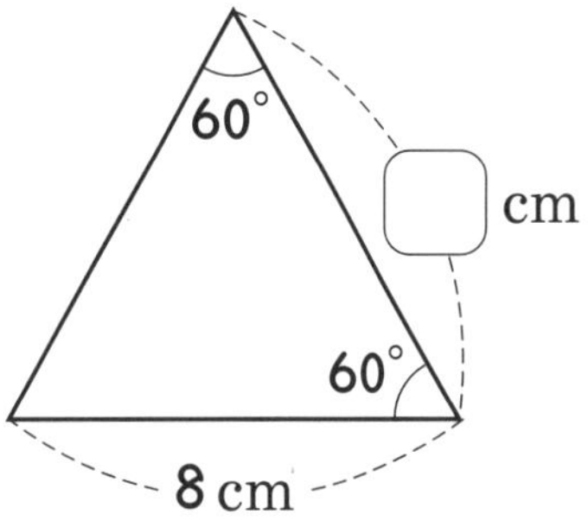

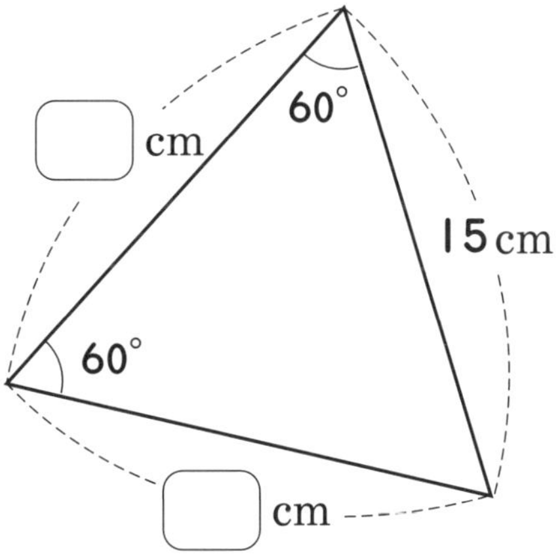

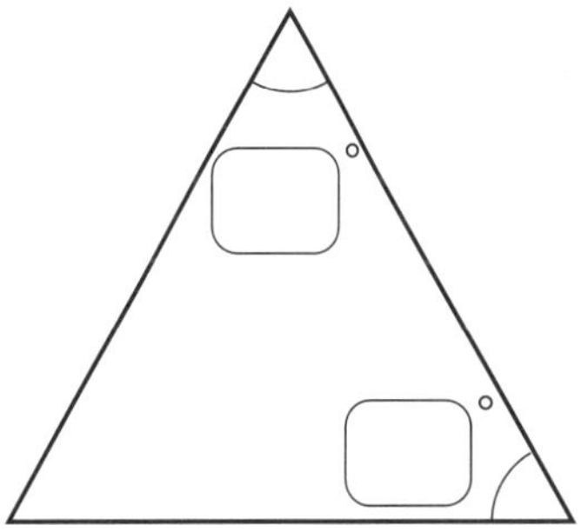

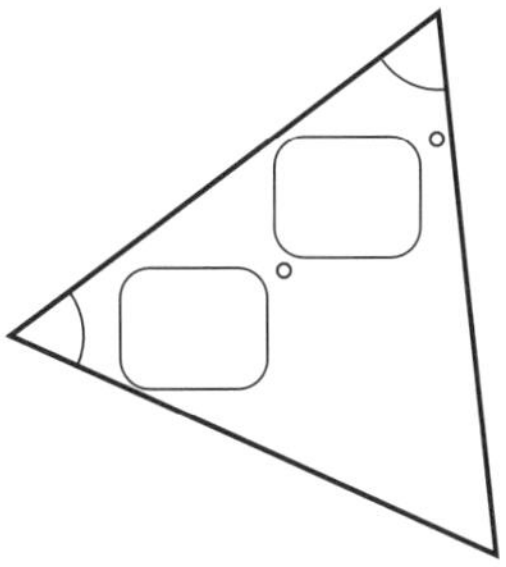

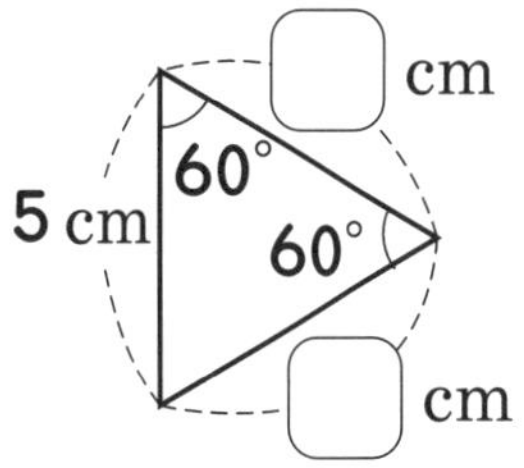

교과서 개념을 배워요

04 삼각형을 각의 크기에 따라 분류하기

학습목표
- 삼각형의 세 각을 예각, 둔각, 직각으로 구분할 수 있어요.
- 각의 크기에 따라 삼각형을 예각삼각형, 둔각삼각형, 직각삼각형으로 분류할 수 있어요.

세 각이 모두 예각인 삼각형을 예각삼각형, 한 각이 둔각인 삼각형을 둔각삼각형이라고 해요.

예각삼각형

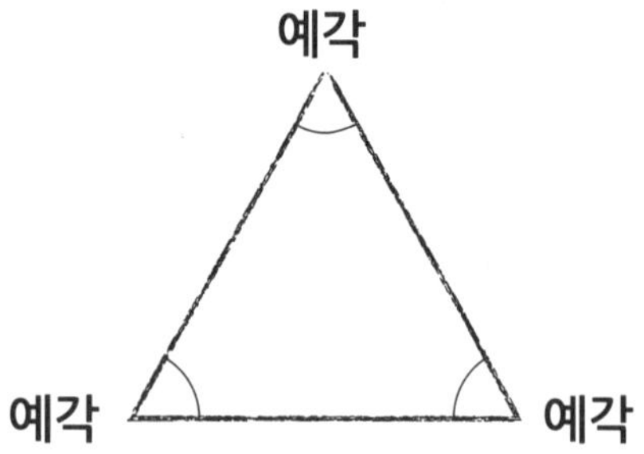

둔각삼각형

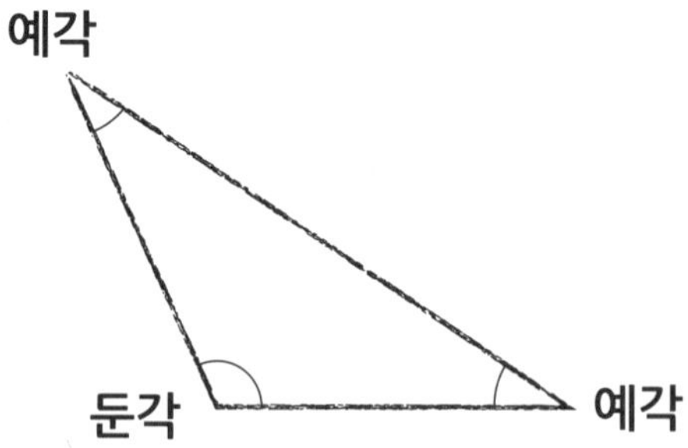

개념문제 지호와 수지 중 옳게 말한 친구에게 ○표 하세요.

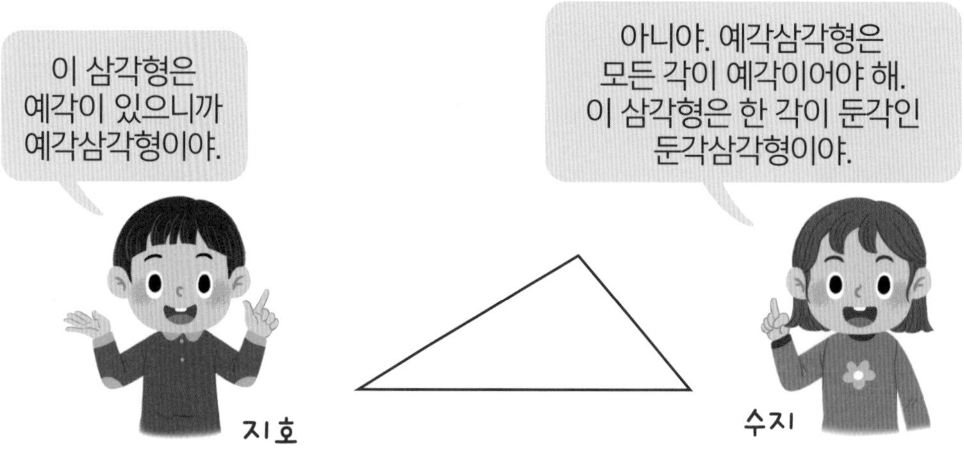

( ) (○)

문제로 개념을 확인해요

쓰기

예각삼각형을 모두 찾아 기호를 쓰세요.

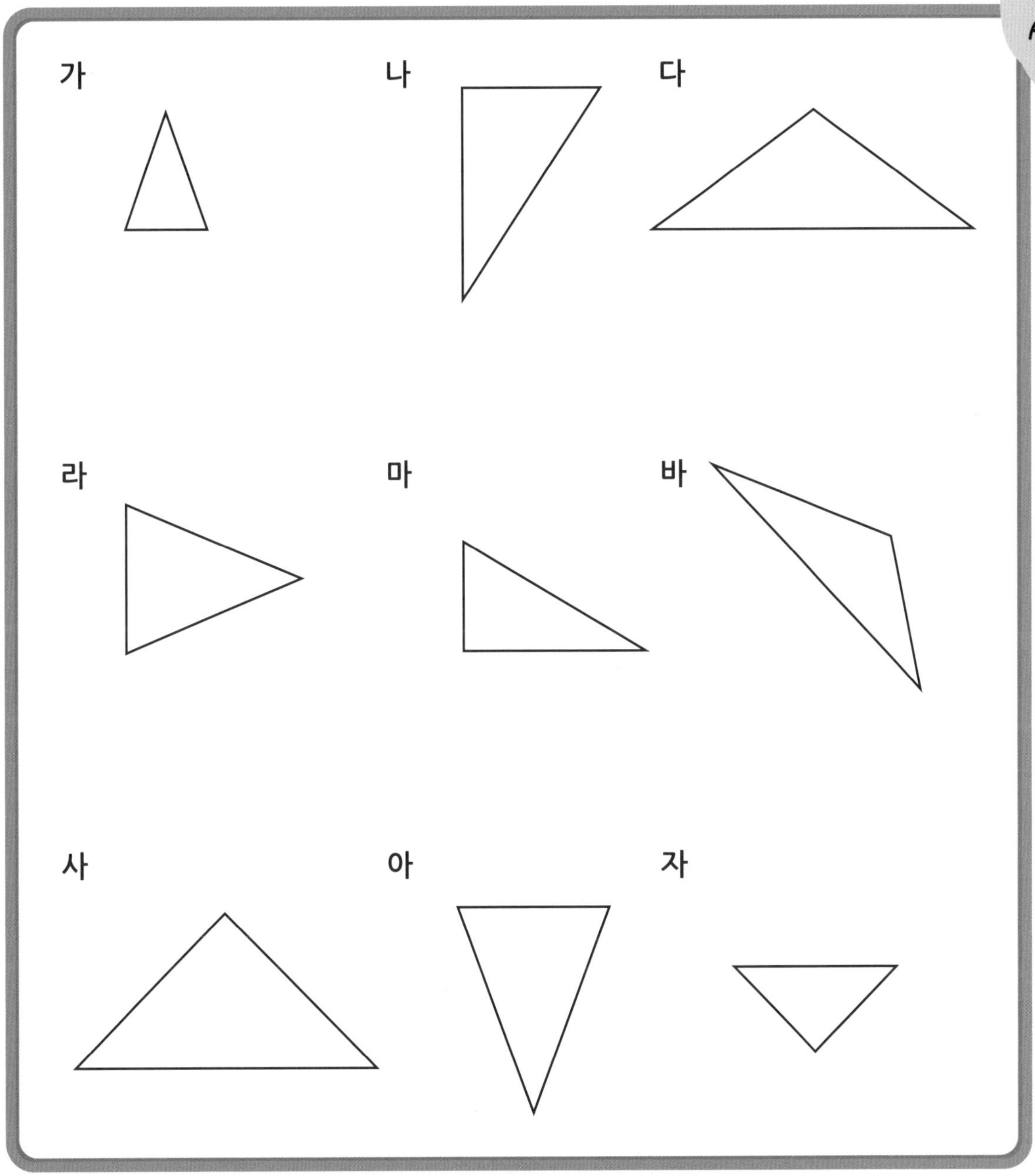

(　　　　　　　　　　　　　　)

문제로 개념을 확인해요

색칠하기

둔각삼각형을 모두 찾아 색칠하세요.

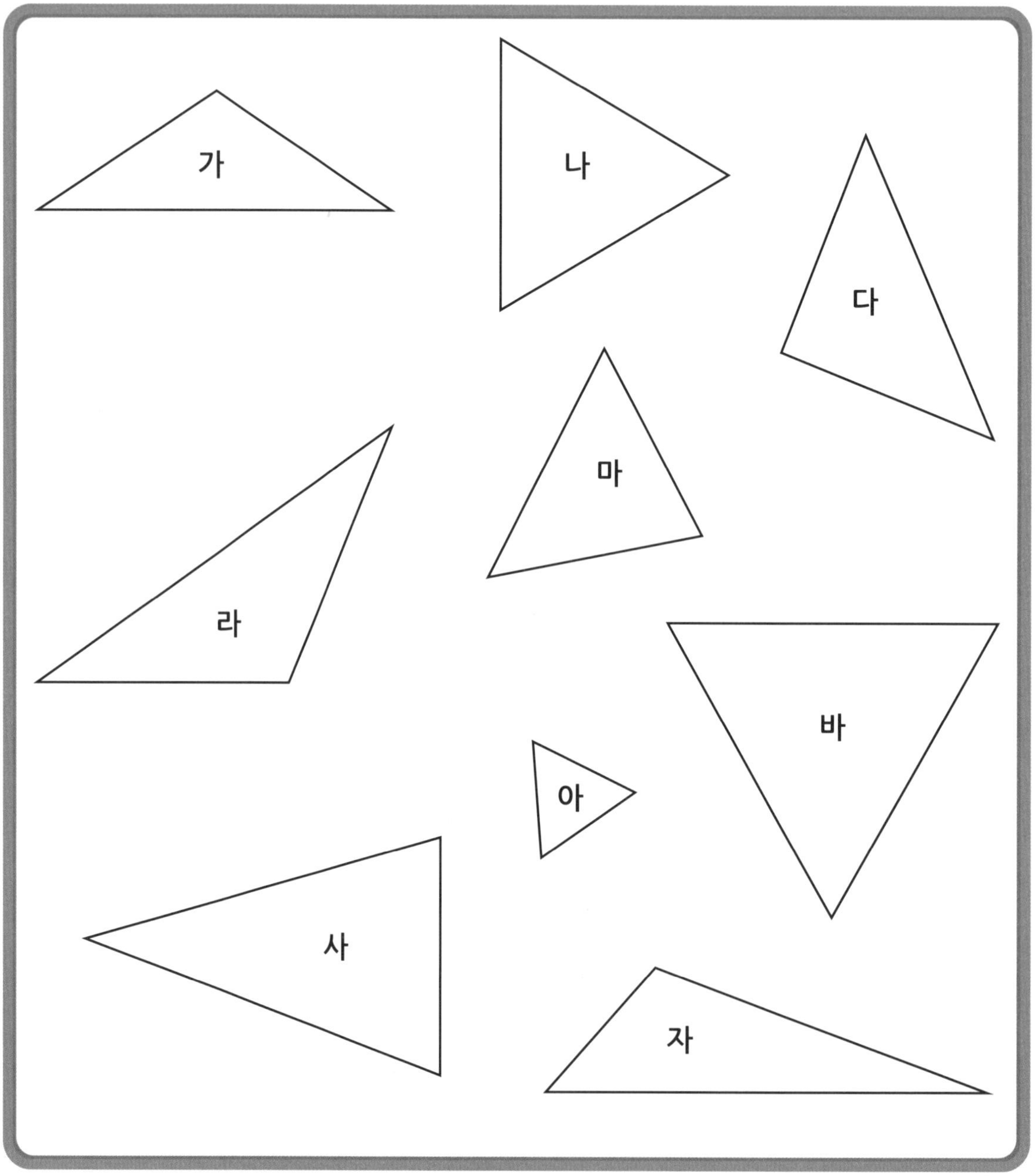

문 제 로 개 념 을 확 인 해 요

그리기

크기와 모양이 다른 삼각형을 각각 3개씩 그려 보세요.

예각삼각형

둔각삼각형

교 과 서 개 념 을 배 워 요

05 삼각형을 변의 길이와 각의 크기에 따라 분류하기

학습목표
- 직각이 있는 이등변삼각형을 변의 길이와 각의 크기에 따라 이름 붙일 수 있어요.
- 여러 가지 삼각형을 변의 길이와 각의 크기에 따라 분류할 수 있어요.

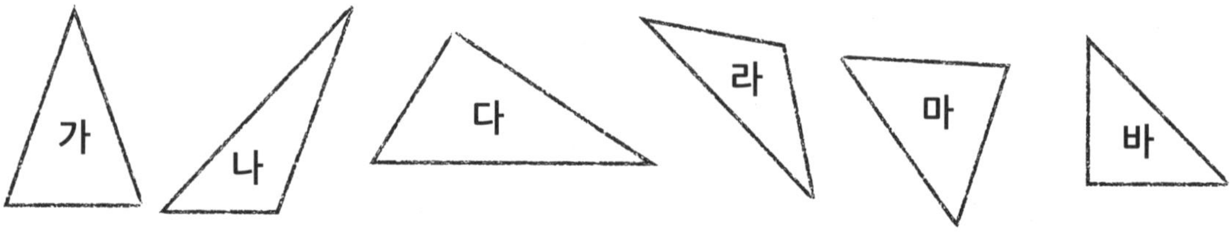

기준 변의 길이

이등변삼각형	가, 라, 바
세 변의 길이가 모두 다른 삼각형	나, 다, 마

기준 각의 크기

예각삼각형	직각삼각형	둔각삼각형
가, 마	다, 바	나, 라

기준 변의 길이와 각의 크기

	예각삼각형	직각삼각형	둔각삼각형
이등변삼각형	가	바	라
세 변의 길이가 모두 다른 삼각형	마	다	나

문제로 개념을 확인해요

선 잇기

삼각형을 보고 알맞은 것을 찾아 선으로 이어 보세요.

정삼각형

이등변삼각형

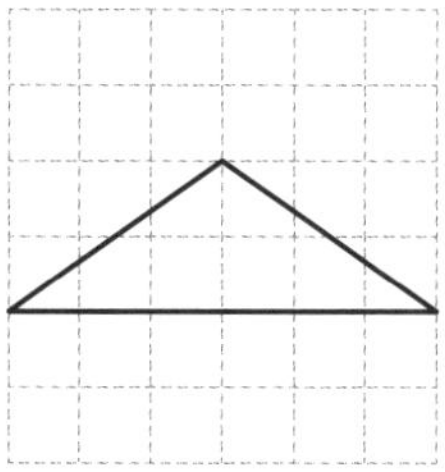

예각삼각형

직각삼각형

둔각삼각형

정삼각형

이등변삼각형

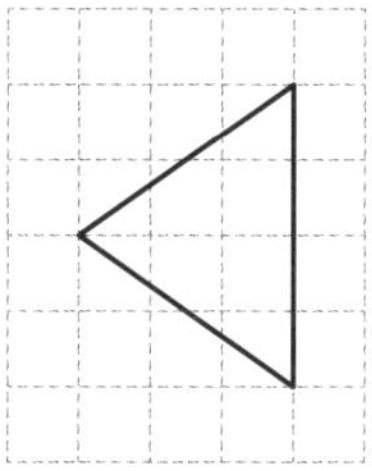

예각삼각형

직각삼각형

둔각삼각형

정삼각형

이등변삼각형

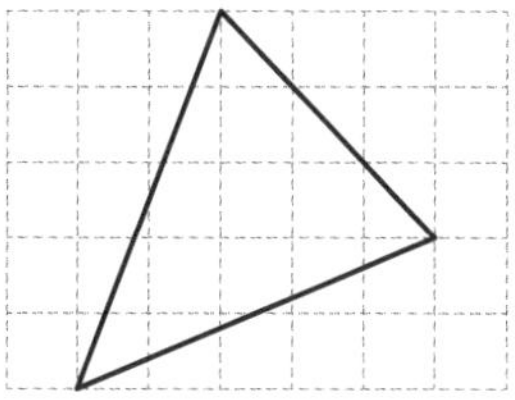

예각삼각형

직각삼각형

둔각삼각형

정답 89쪽

문 제 로 개 념 을 확 인 해 요

쓰기

삼각형을 분류하여 기호를 쓰세요.

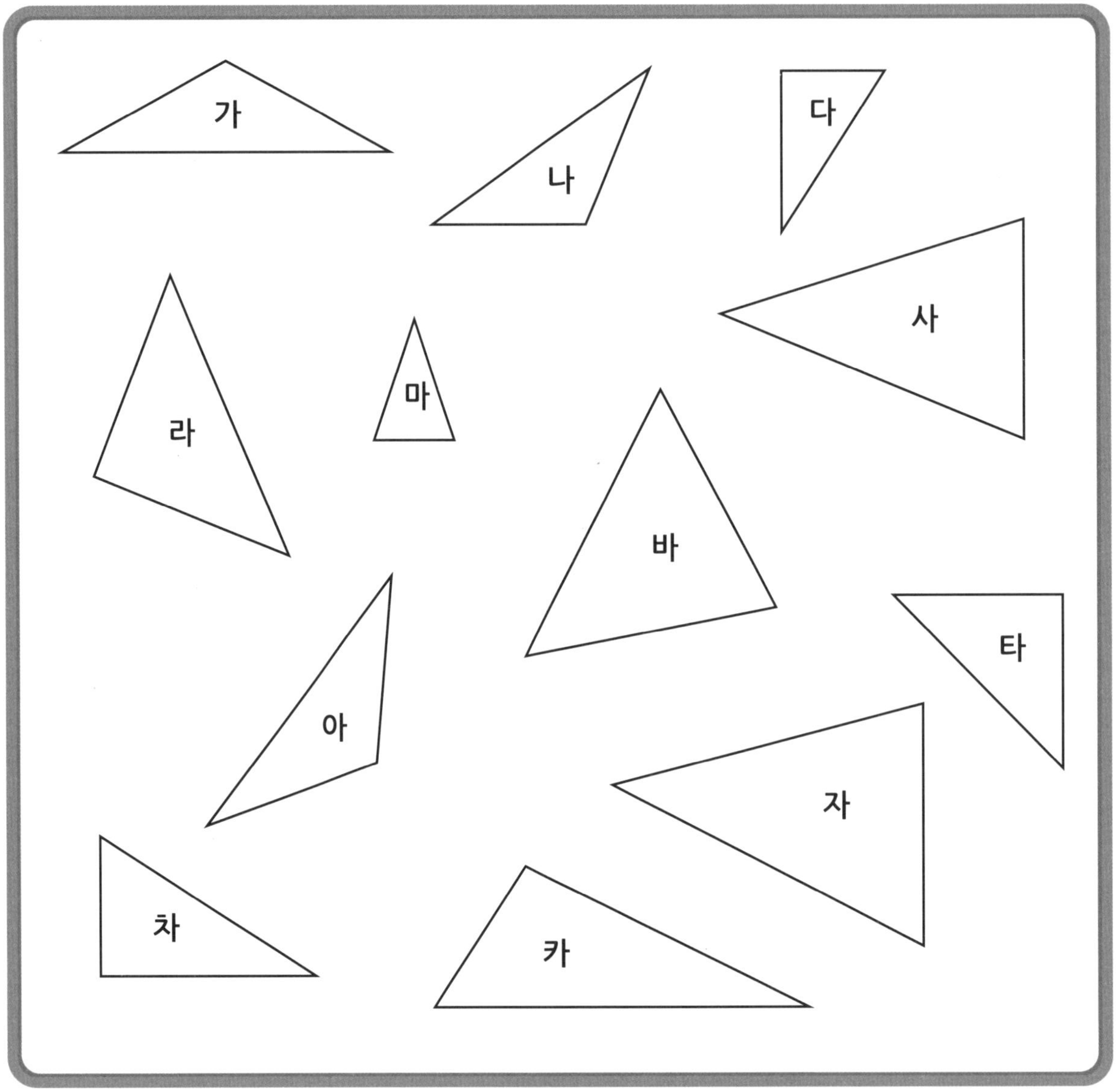

	예각삼각형	직각삼각형	둔각삼각형
이등변삼각형			
세 변의 길이가 모두 다른 삼각형			

문제로 개념을 확인해요

색칠하기

삼각형의 일부가 지워졌습니다. 이 삼각형은 어떤 삼각형인지 알맞은 이름에 모두 색칠하세요.

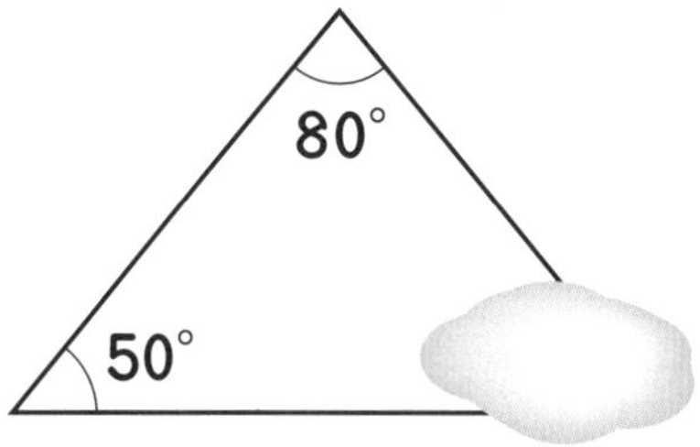

이등변삼각형	정삼각형	
예각삼각형	직각삼각형	둔각삼각형

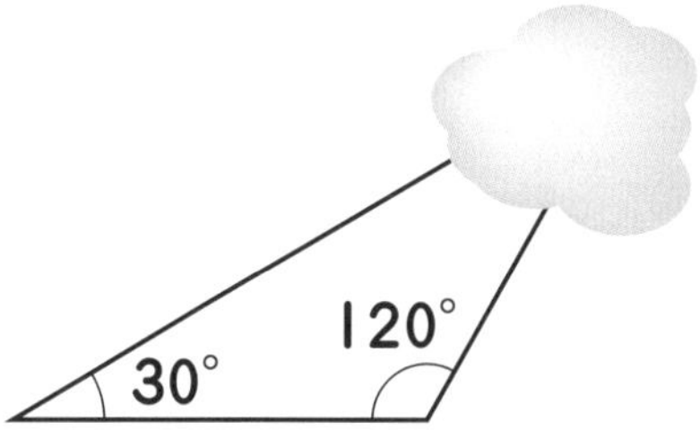

이등변삼각형	정삼각형	
예각삼각형	직각삼각형	둔각삼각형

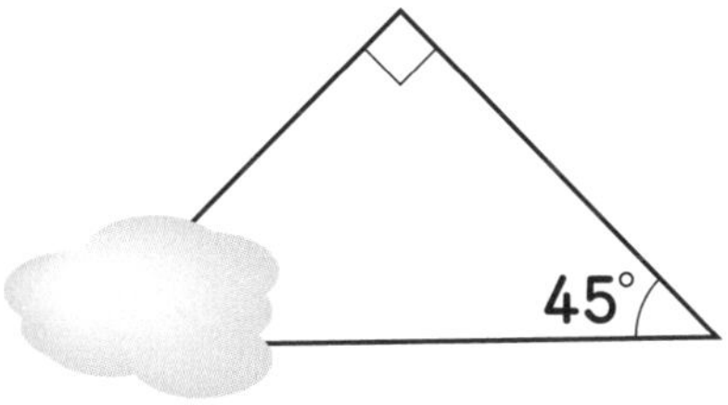

이등변삼각형	정삼각형	
예각삼각형	직각삼각형	둔각삼각형

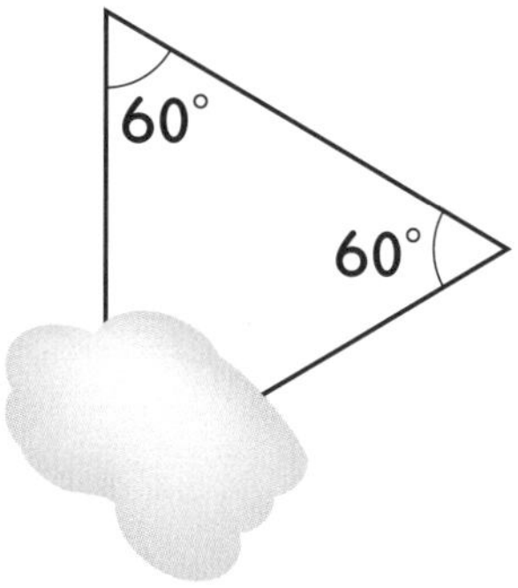

이등변삼각형	정삼각형	
예각삼각형	직각삼각형	둔각삼각형

정답 89쪽

교 과 서 개 념 을 배 워 요

06 수직을 알고 수선 긋기

학습목표
- 수직과 수선을 이해할 수 있어요.
- 삼각자와 각도기를 사용하여 수선을 그을 수 있어요.

모눈종이의 가로선과 세로선처럼
서로 만나서 생긴 각이 90°면
서로에게 수선이라고 하는구나.

두 직선이 만나서 이루는 각이 직각일 때, 두 직선은 서로 수직이라고 해요.

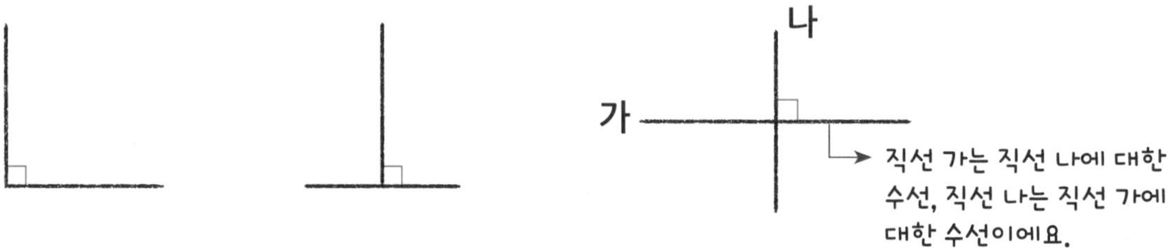

방법 1 삼각자를 사용하여 수선 긋기

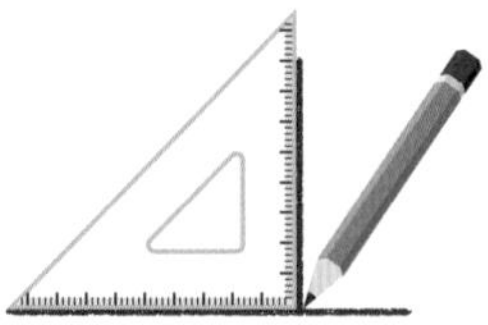

삼각자에서 직각을 낀 변 중 한 변을 주어진 직선에 맞추고 직각을 낀 다른 한 변을 따라 선을 긋습니다.

방법 2 각도기를 사용하여 수선 긋기

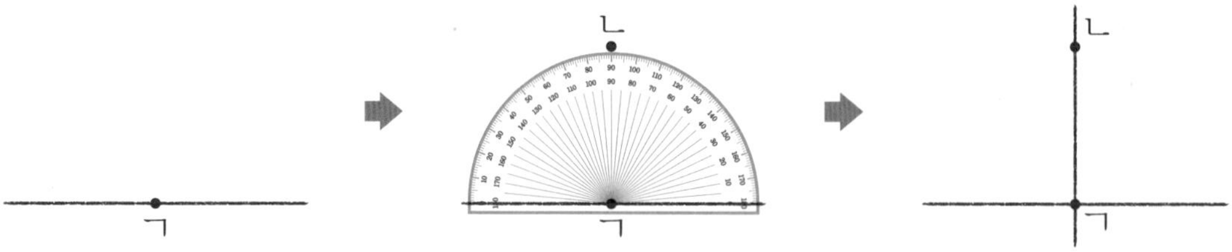

① 주어진 직선 위에 점 ㄱ을 찍습니다.
② 각도기의 중심을 점 ㄱ에 맞추고 각도기의 밑금을 주어진 직선과 일치하도록 놓습니다.
③ 각도기에서 90°가 되는 눈금 위에 점 ㄴ을 표시합니다.
④ 점 ㄱ과 점 ㄴ을 직선으로 잇습니다.

문제로 개념을 확인해요

표시하기

두 직선이 만나서 이루는 각이 직각인 곳을 모두 찾아 보기 와 같이 표시하세요.

보기

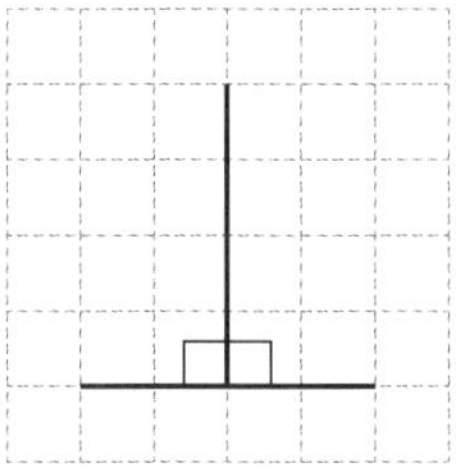

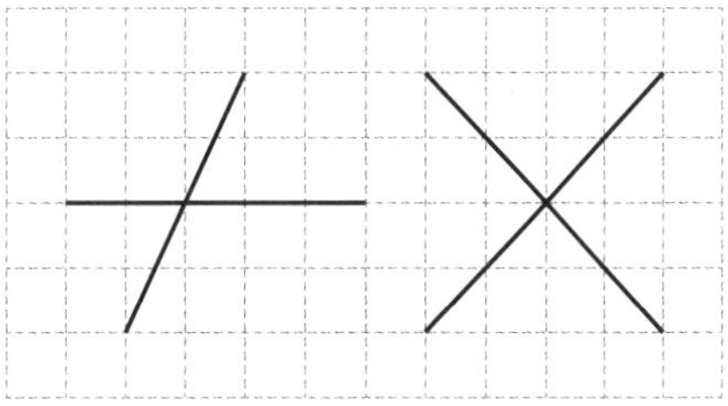

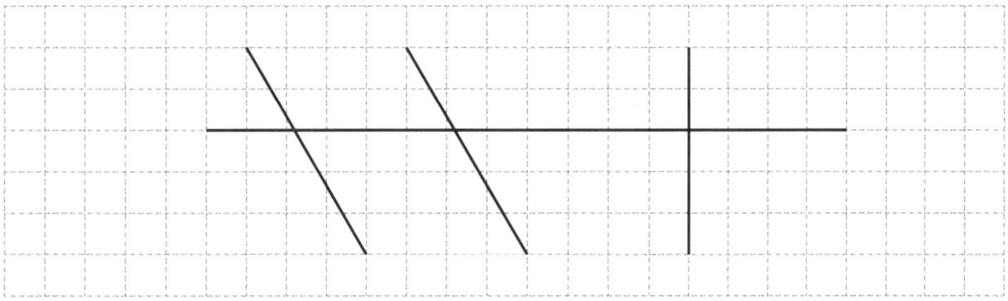

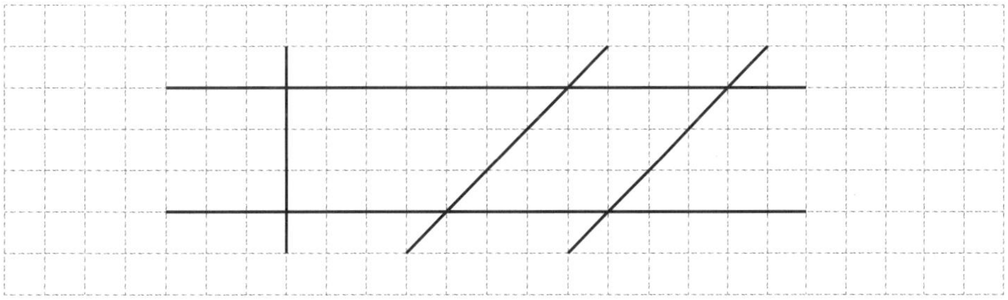

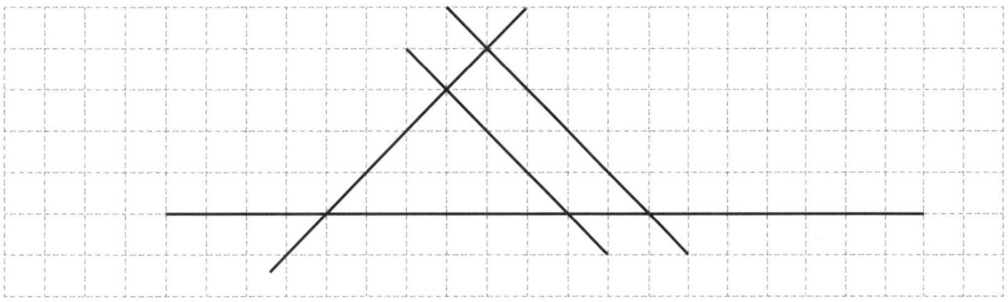

문제로 개념을 확인해요

쓰기

서로 수직인 변이 있는 도형을 모두 찾아 기호를 쓰세요.

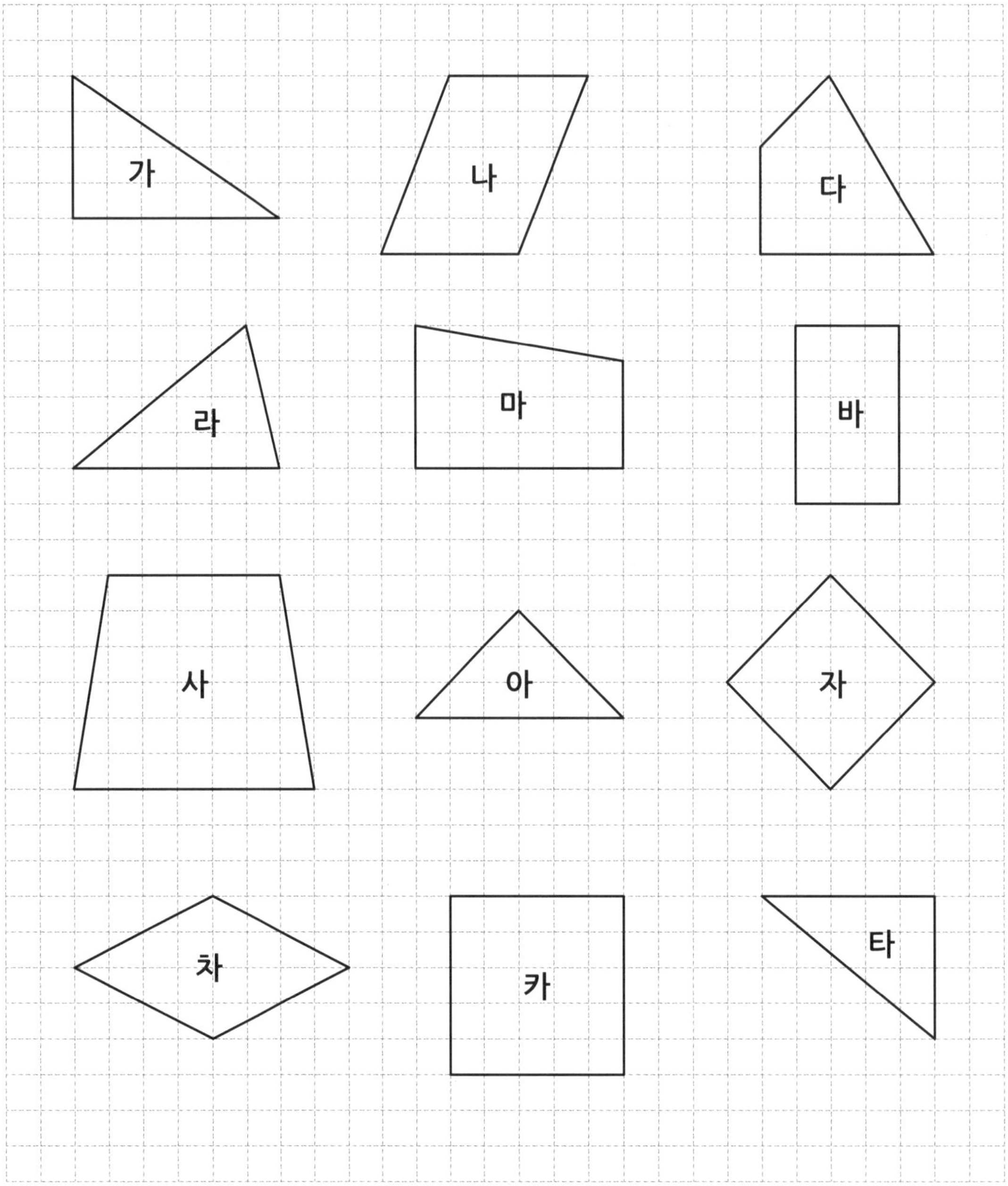

( )

문제로 개념을 확인해요

그리기

각도기와 삼각자를 사용하여 주어진 직선에 대한 수선을 그어 보세요.

각도기 사용

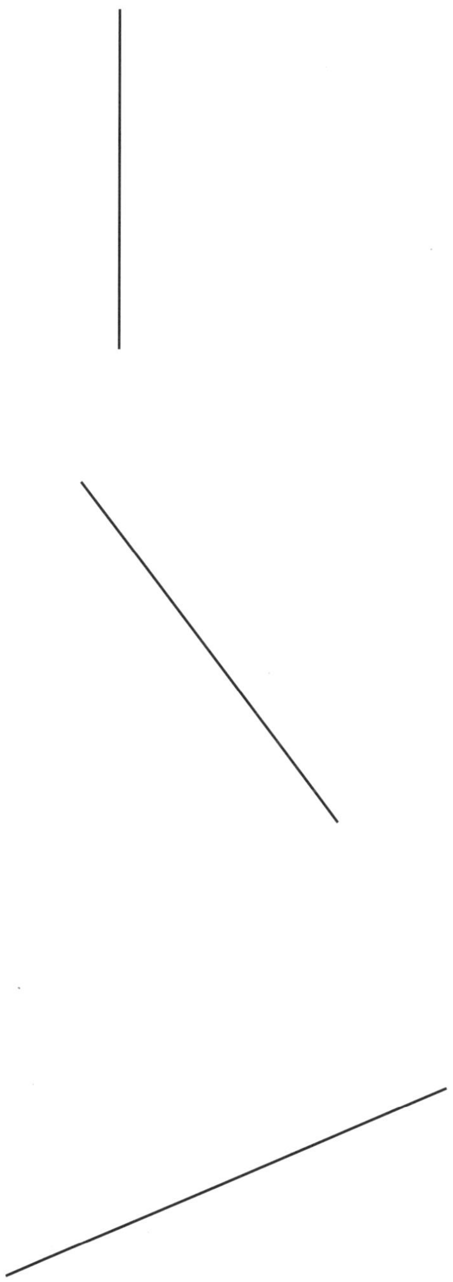

삼각자 사용

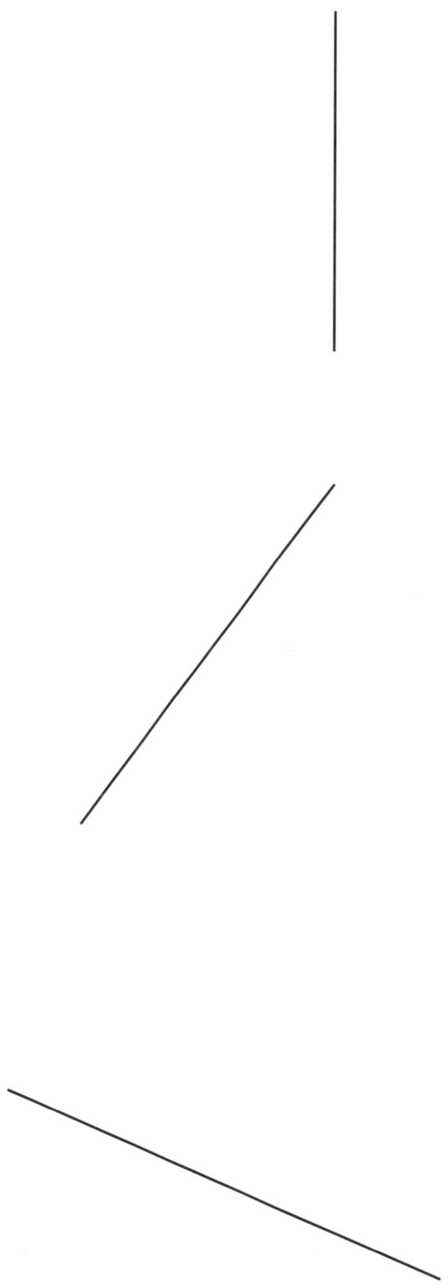

교 과 서 개 념 을 배 워 요

07 평행을 알고 평행선 긋기

학습목표
- 평행과 평행선을 이해할 수 있어요.
- 삼각자를 사용하여 평행선을 그을 수 있어요.

한 직선에 수직인 두 직선을 그었을 때, 그 두 직선은 서로 만나지 않습니다.
이와 같이 서로 만나지 않는 두 직선을 **평행**하다고 합니다.
이때 평행한 두 직선을 **평행선**이라고 합니다.

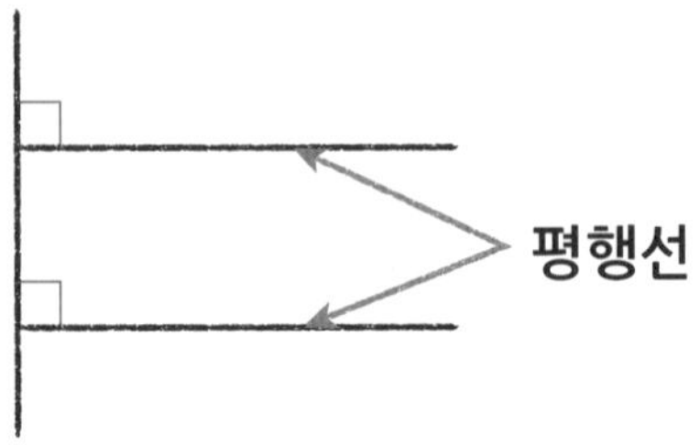

방법 1 삼각자를 사용하여 주어진 직선과 평행한 직선 긋기

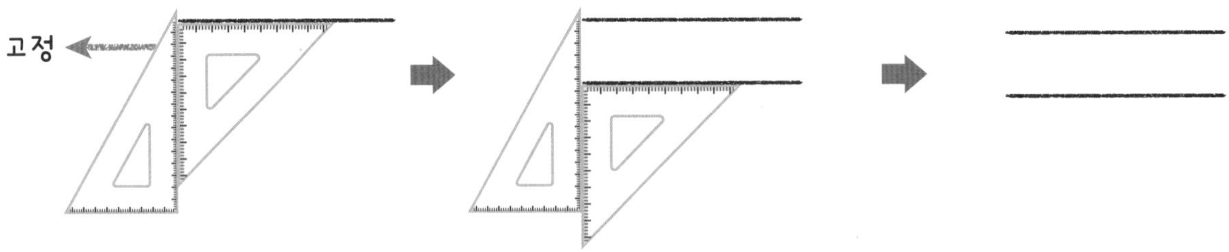

① 삼각자 2개를 그림과 같이 놓습니다.
② 한 삼각자를 고정하고 다른 삼각자를 움직여 평행선을 긋습니다.

방법 2 삼각자를 사용하여 한 점을 지나고 주어진 직선과 평행한 직선 긋기

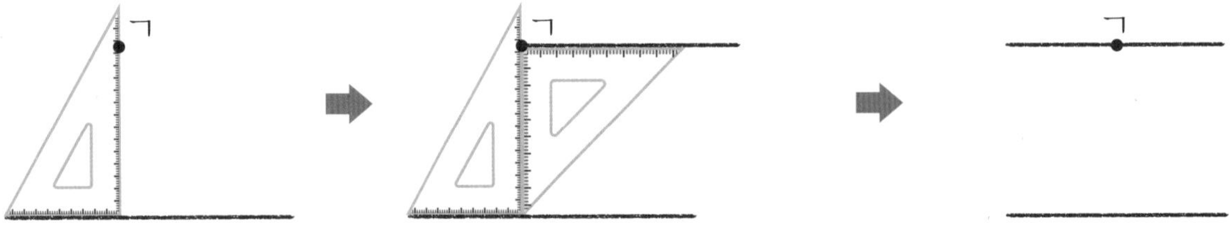

① 삼각자의 한 변을 주어진 직선에 맞추고 다른 한 변이 점 ㄱ을 지나도록 놓습니다.
② 다른 삼각자를 사용하여 점 ㄱ을 지나고 주어진 직선과 평행한 직선을 긋습니다.

문제로 개념을 확인해요

표시하기

도형에서 서로 평행한 변을 찾아 같은 모양으로 표시하세요.

보기

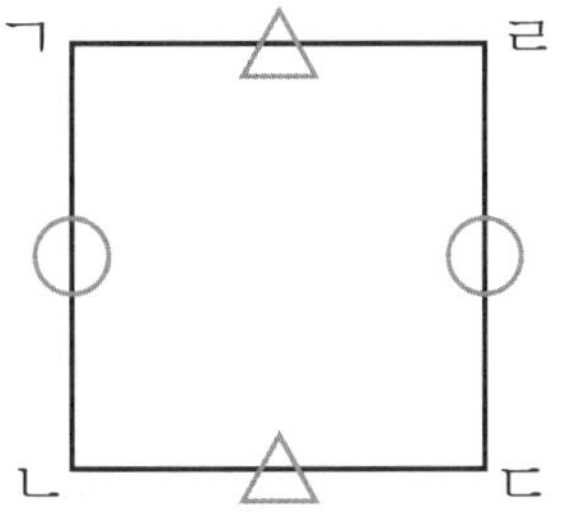

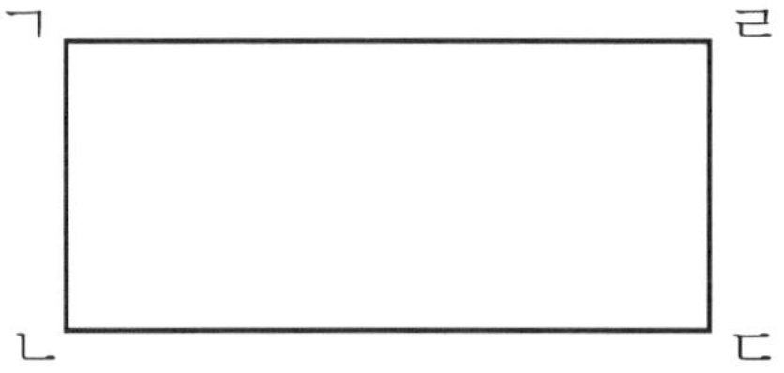

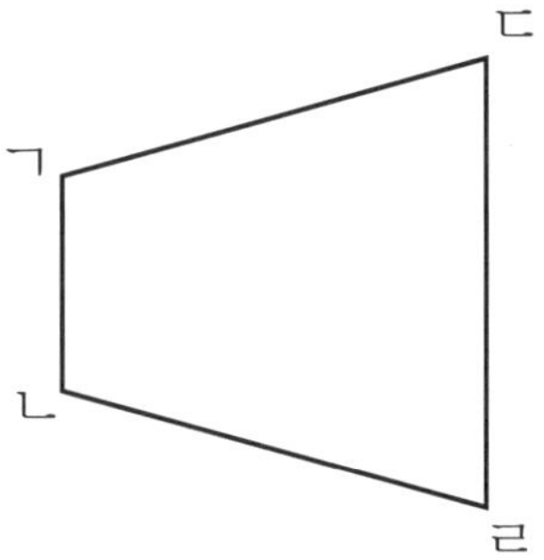

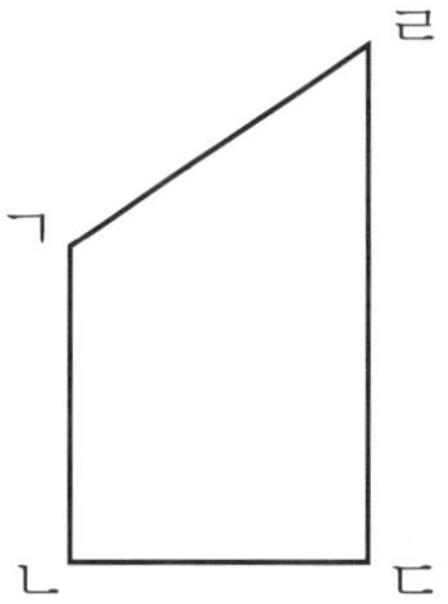

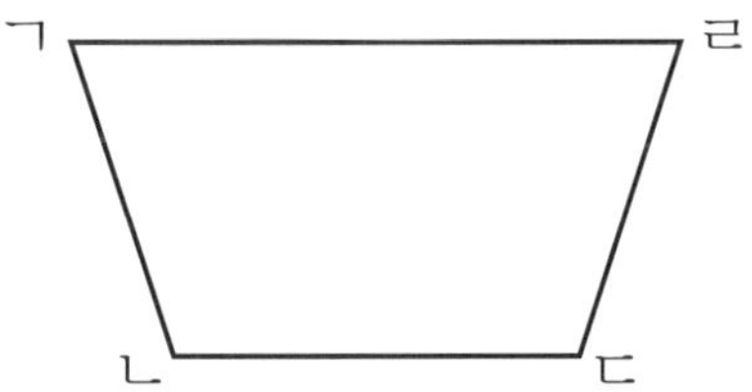

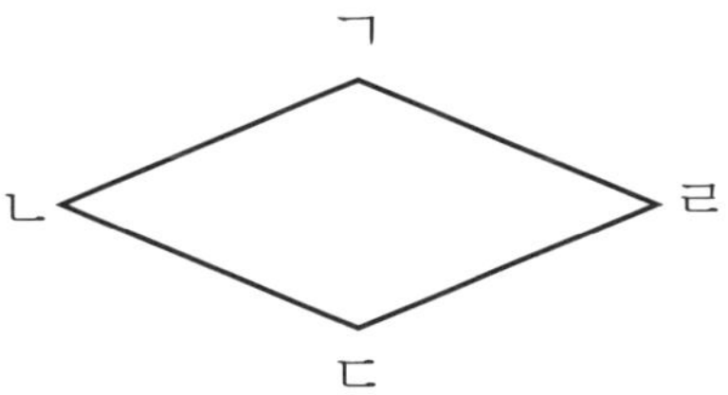

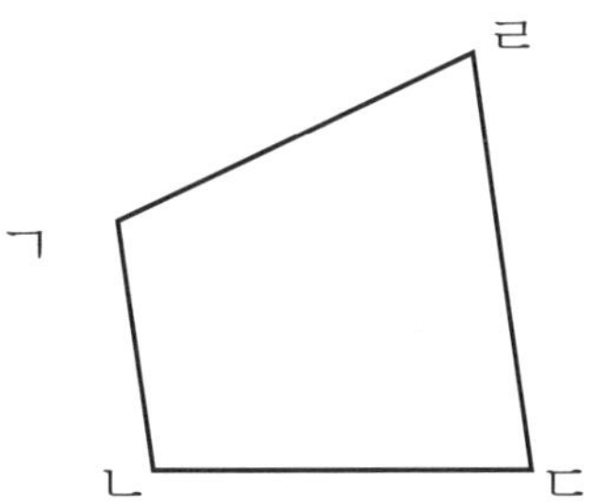

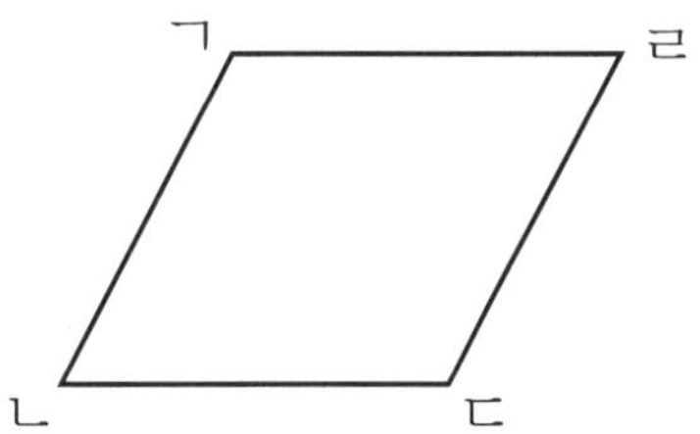

문제로 개념을 확인해요

그리기

삼각자를 사용하여 점 ㄱ을 지나고 주어진 직선과 평행한 직선을 그어 보세요.

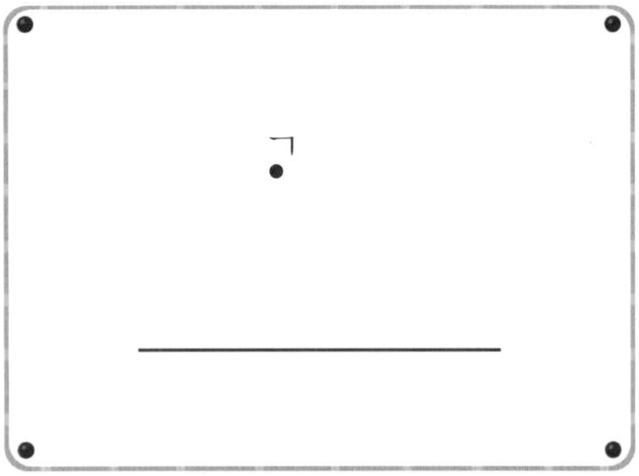

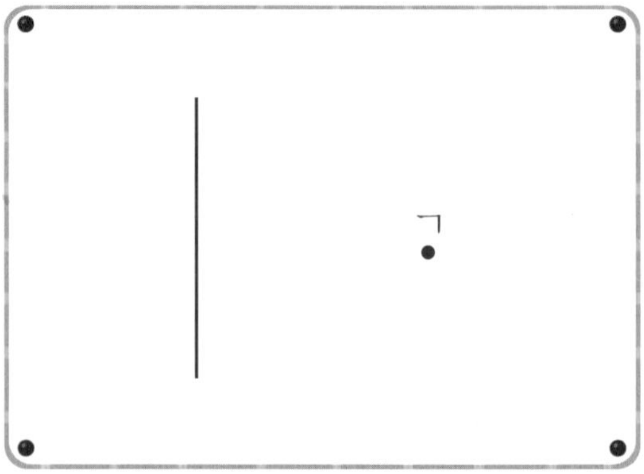

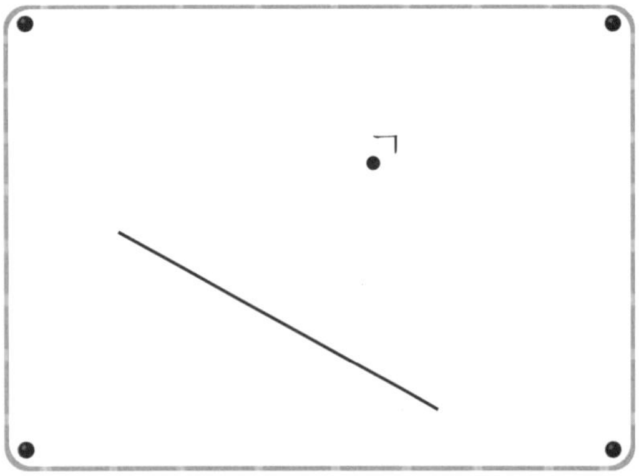

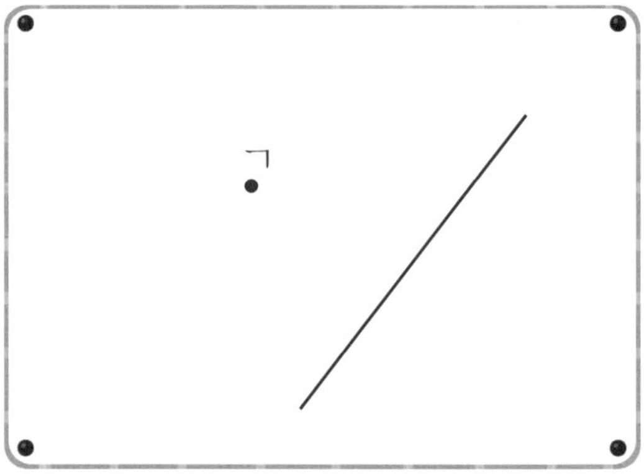

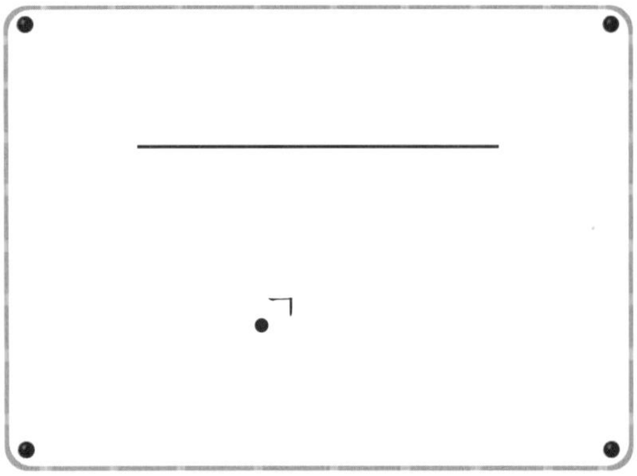

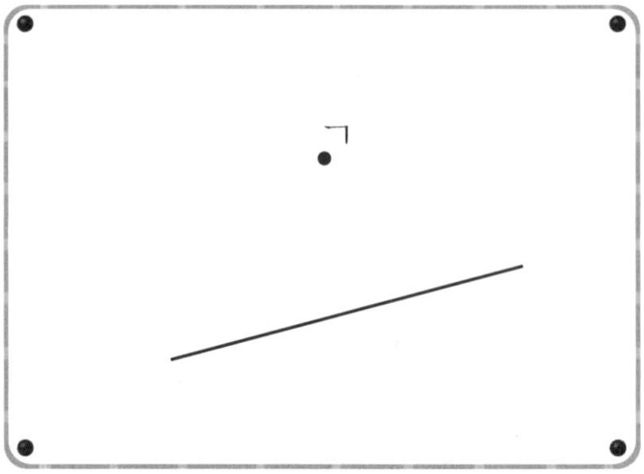

정답 90쪽

문제로 개념을 확인해요

그리기

평행선이 있는 사각형을 그려 보세요.

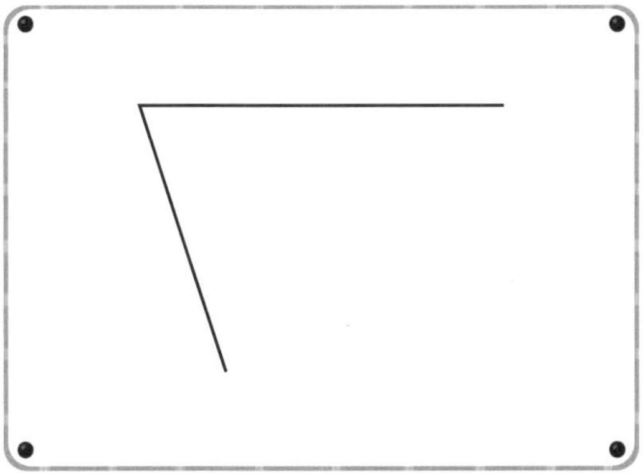

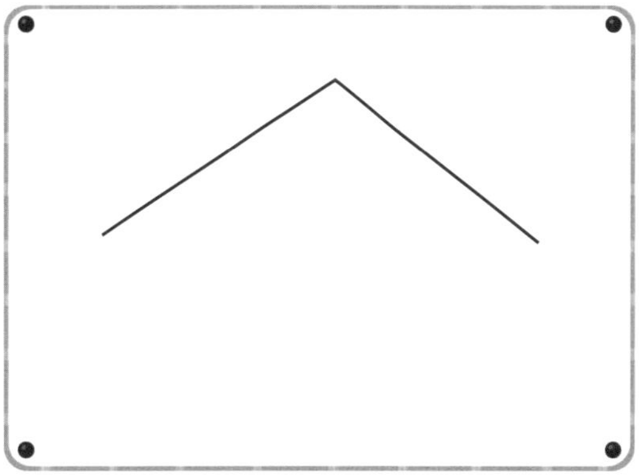

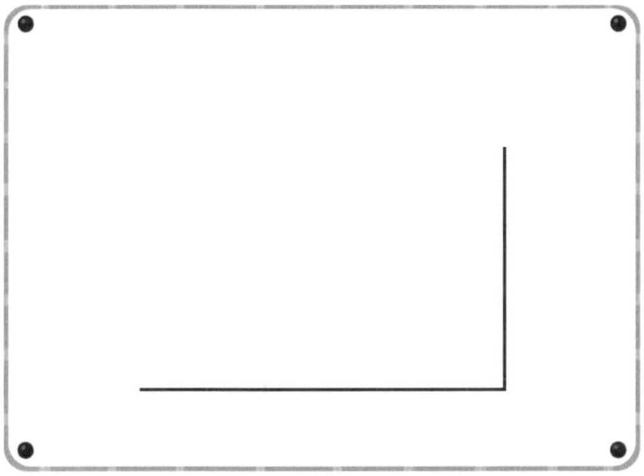

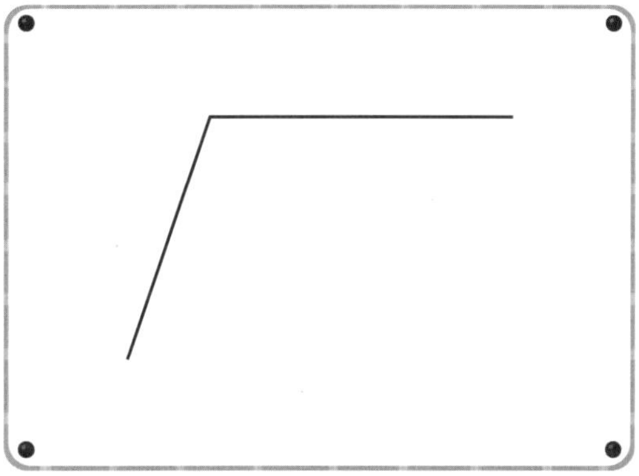

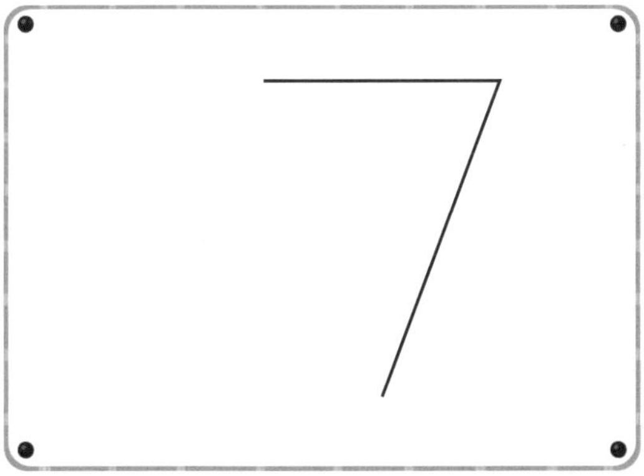

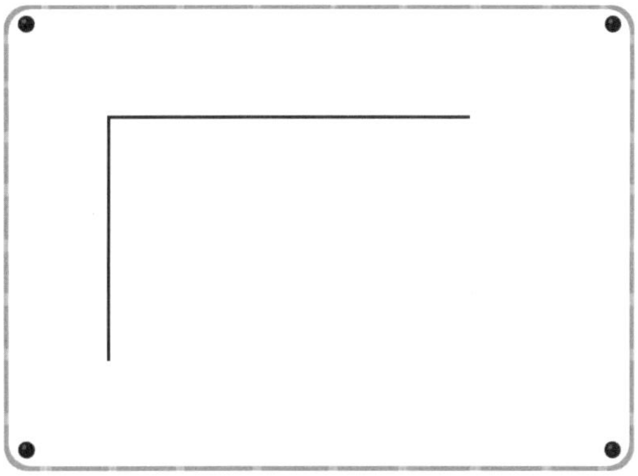

정답 90쪽

교과서 개념을 배워요

08 평행선 사이의 거리

학습목표
- 평행선 사이의 거리를 이해할 수 있어요.
- 평행선 사이의 거리를 재고, 평행선 사이의 거리가 주어진 두 평행선을 그을 수 있어요.

평행선 사이에 그을 수 있는 선분 중 길이가 가장 짧은 선분이 바로 평행선 사이의 거리야.

평행선의 한 직선에서 다른 직선에 수선을 그어요. 이때 이 수선의 길이를 평행선 사이의 거리라고 해요.

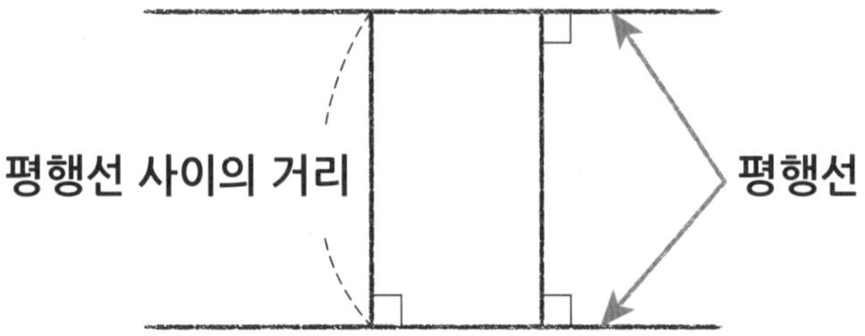

두 직선의 평행선 사이의 거리는 모두 같습니다.
→ 자로 재어 보면 평행선 사이의 거리는 3 cm입니다.

개념 문제

직선 가와 직선 나는 서로 평행합니다. 알맞은 말에 ○표 하세요.

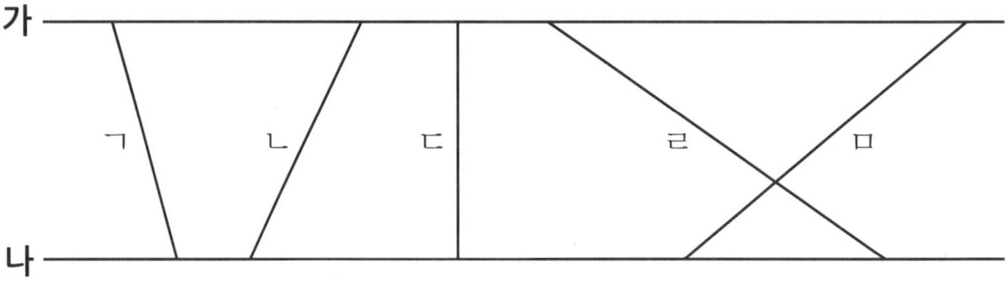

- 직선 **가**와 직선 **나** 위에 있는 두 점을 이은 선분 중 길이가 가장 짧은 선분은 (ㄱ , ㄴ , ㄷ , ㄹ , ㅁ)입니다.
- 길이가 가장 짧은 선분과 두 직선 **가**, **나**가 만나서 이루는 각도는 (30° , 45° , 60° , 90° , 120°)입니다.
- 선분 ㄷ과 같이 평행선 사이의 수선의 길이를 (수직 , 평행 , 평행선 사이의 거리)라고 합니다.

문제로 개념을 확인해요

쓰기

평행선 사이의 거리를 재어 보세요.

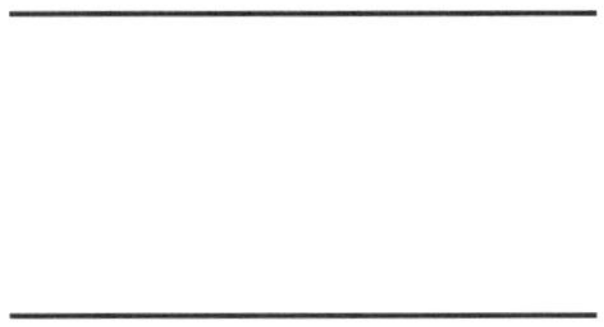

□ cm

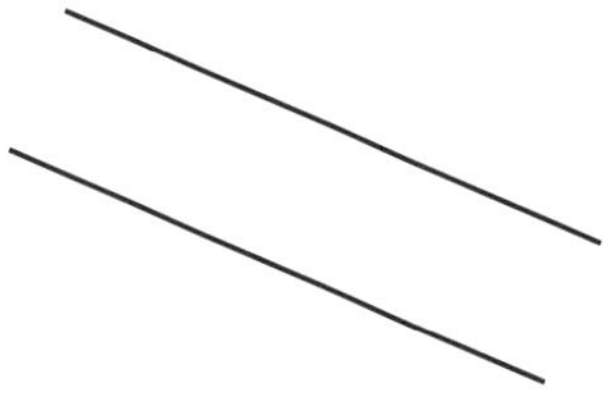

□ cm

□ cm

□ cm

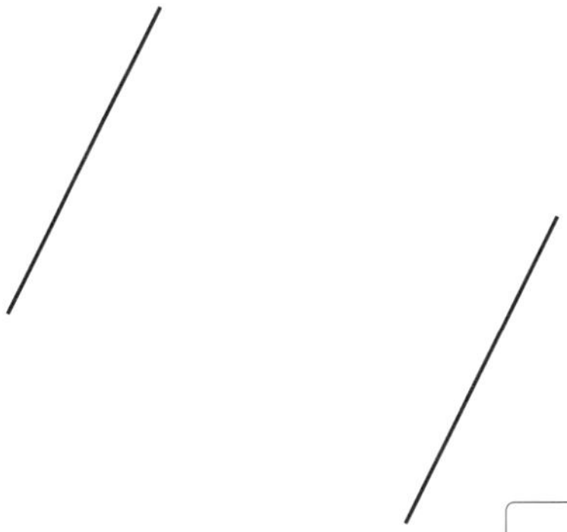

□ cm

□ cm

문제로 개념을 확인해요

그리기

평행선 사이의 거리가 3 cm가 되도록 주어진 직선과 평행한 직선을 그어 보세요.

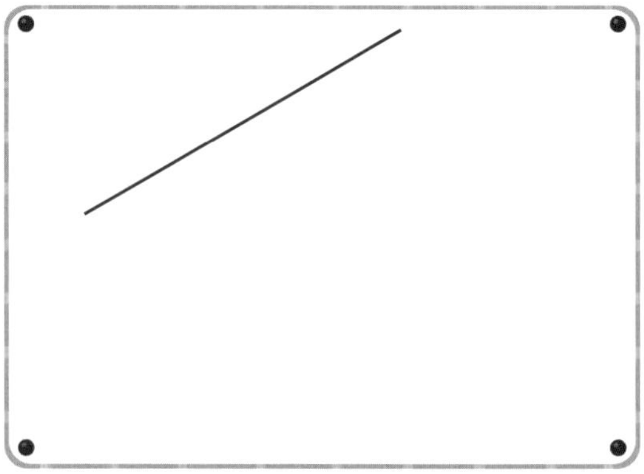

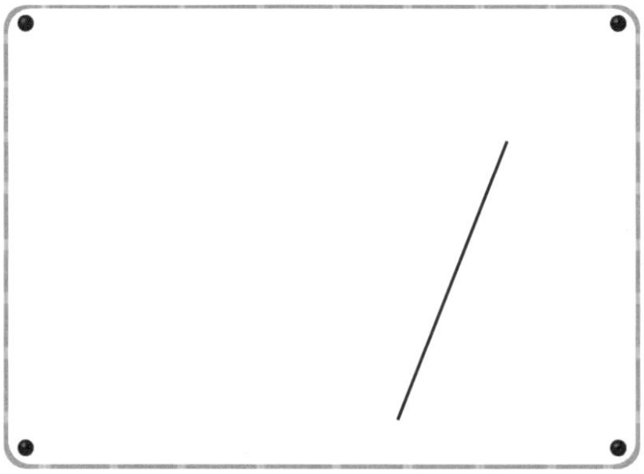

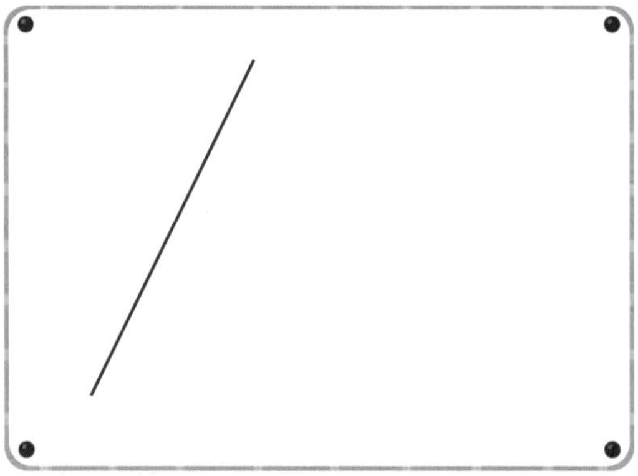

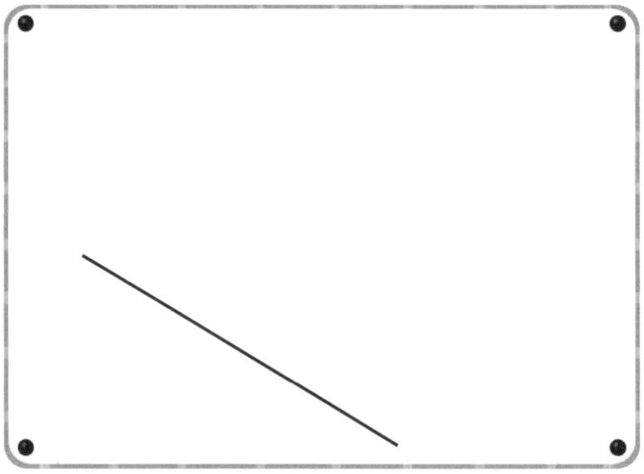

정답 90쪽

문제로 개념을 확인해요

쓰기

도형에서 평행선을 찾아 평행선 사이의 거리를 재어 보세요.

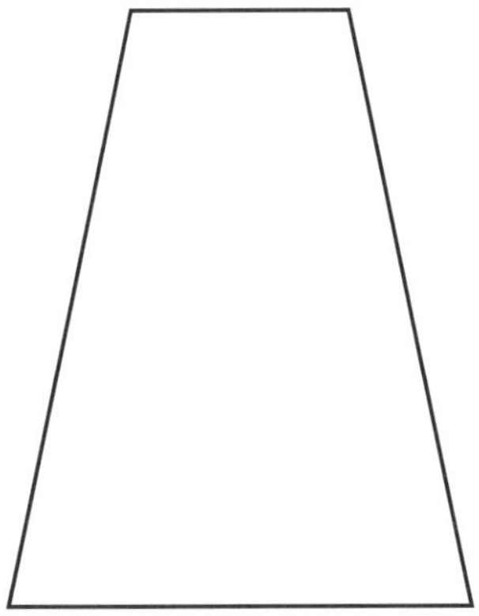

□ cm

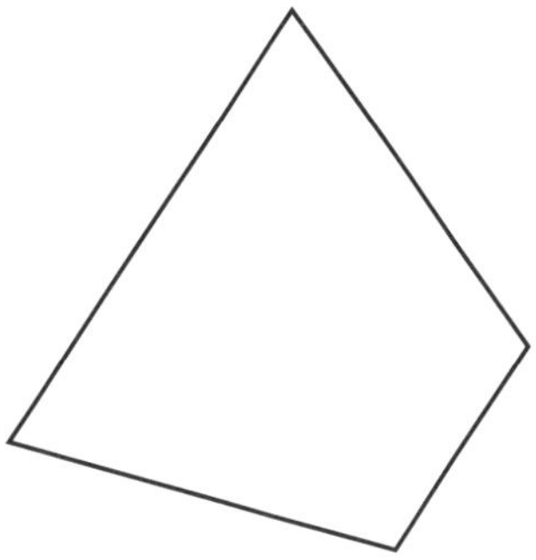

□ cm

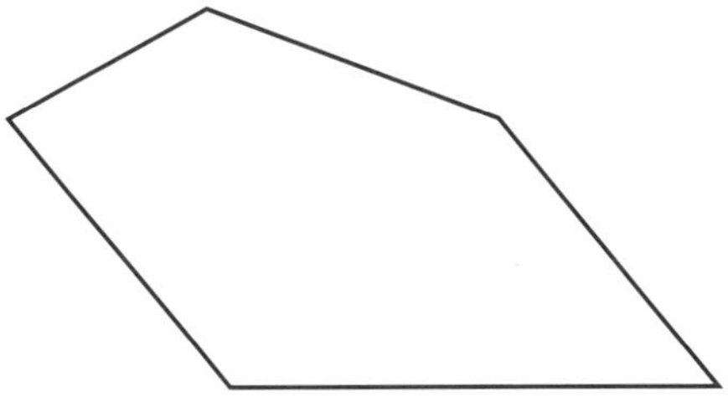

□ cm

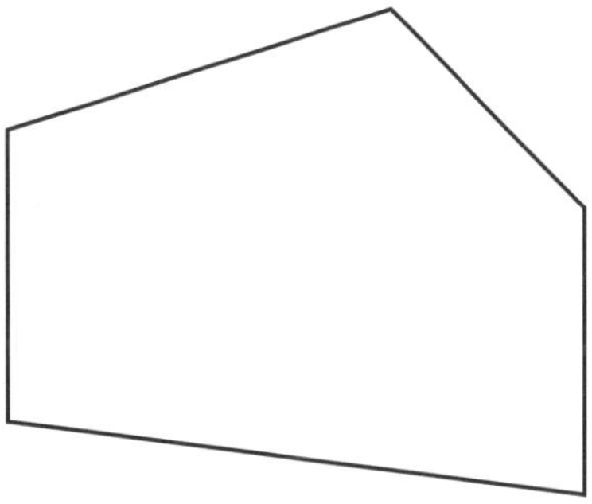

□ cm

□ cm

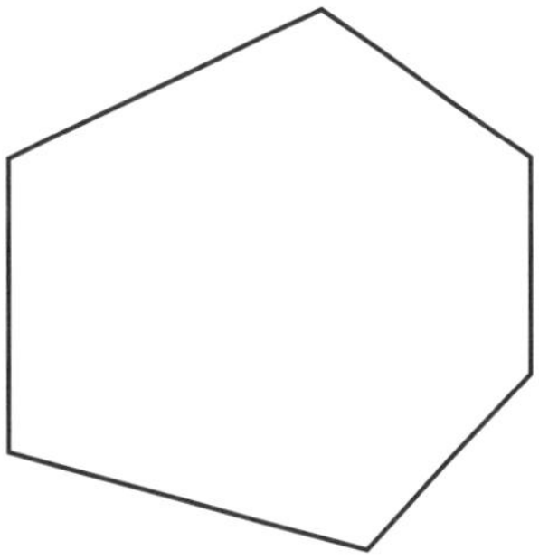

□ cm

정답 90쪽

교 과 서 개 념 을 배 워 요

09 사다리꼴, 평행사변형, 마름모

학습목표
- 사다리꼴, 평행사변형, 마름모를 찾고 이해할 수 있어요.
- 사다리꼴, 평행사변형, 마름모의 성질을 알고 그릴 수 있어요.

평행한 변이 한 쌍이라도 있는 사각형을 **사다리꼴**이라고 합니다.

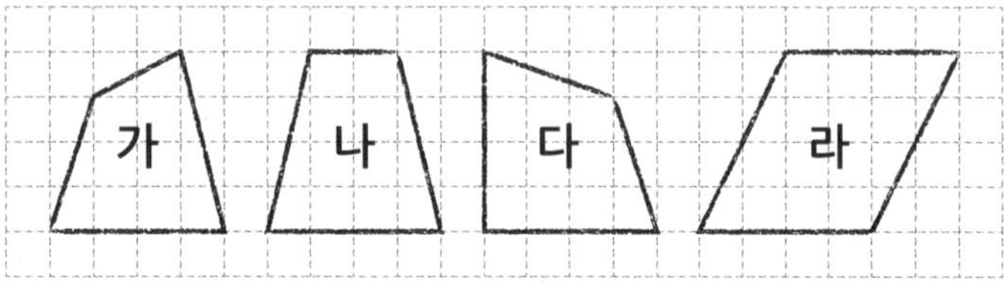

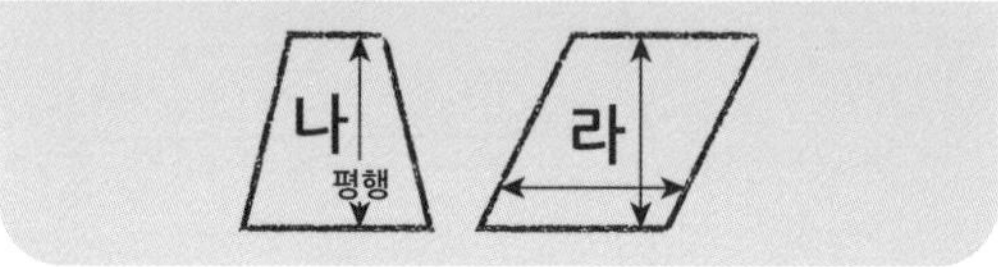

마주 보는 두 쌍의 변이 서로 평행한 사각형을 **평행사변형**이라고 합니다.

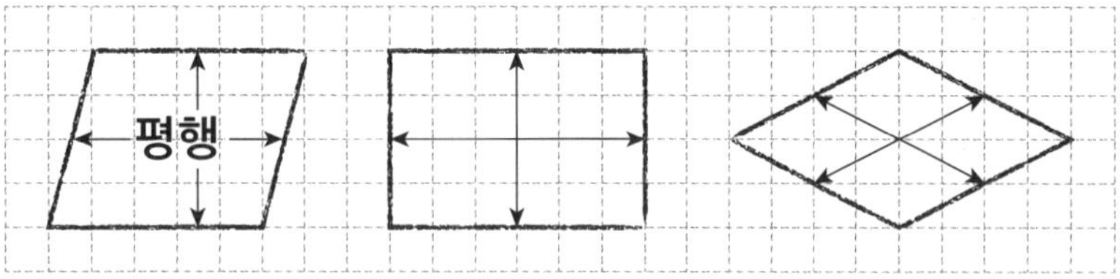

성질 ① 마주 보는 두 변의 길이가 같습니다.
성질 ② 마주 보는 두 각의 크기가 같습니다.
성질 ③ 이웃한 두 각의 크기의 합이 180°입니다.

네 변의 길이가 모두 같은 사각형을 **마름모**라고 합니다.

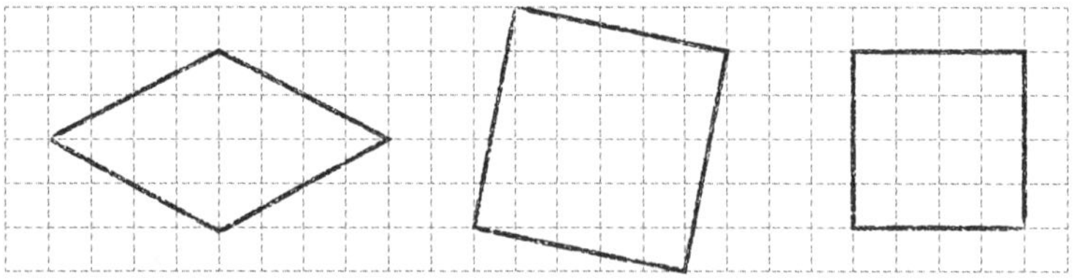

성질 ① 네 변의 길이가 모두 같습니다.
성질 ② 마주 보는 두 각의 크기가 같습니다.
성질 ③ 이웃한 두 각의 크기의 합이 180°입니다.
성질 ④ 마주 보는 꼭짓점끼리 이은 선분이 서로 수직으로 만나고, 서로 길이가 같게 나눕니다.

문제로 개념을 확인해요

색칠하기

도형을 보고 이름이 될 수 있는 것에 모두 색칠하세요.

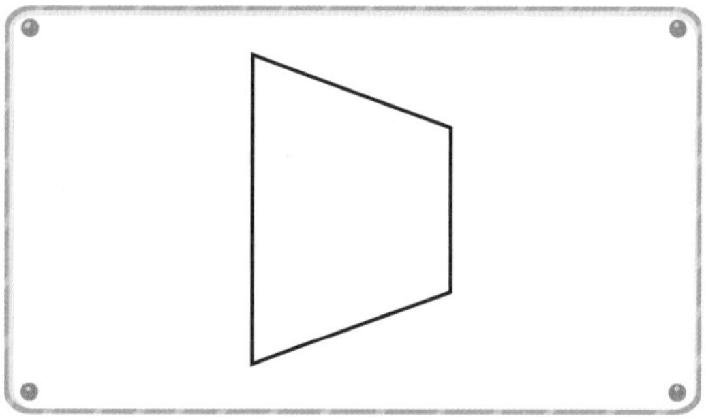

사다리꼴 평행사변형 마름모

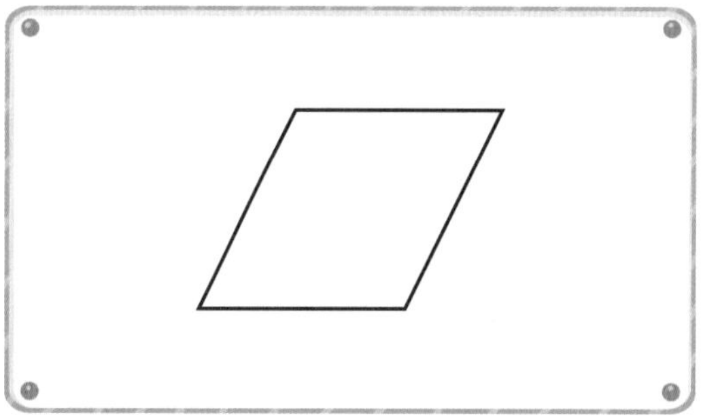

사다리꼴 평행사변형 마름모

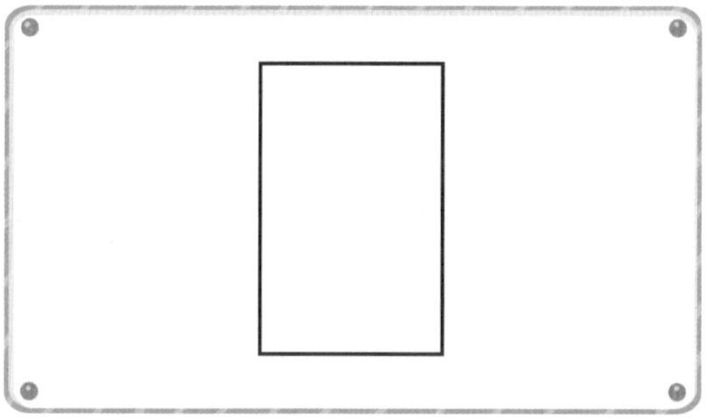

사다리꼴 평행사변형 마름모

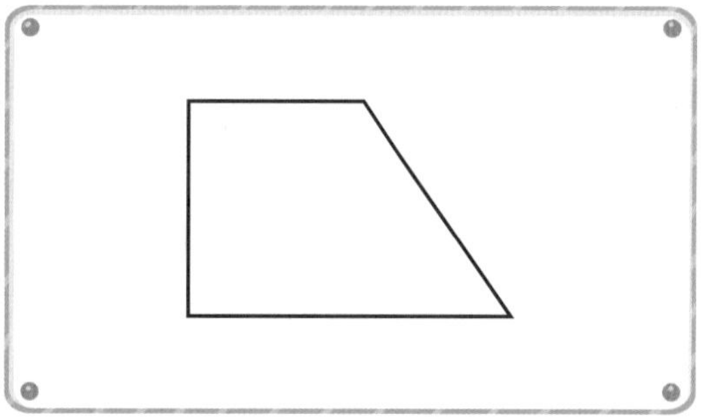

사다리꼴 평행사변형 마름모

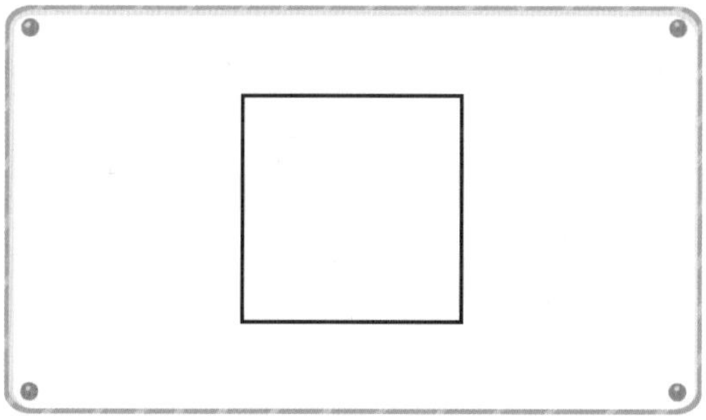

사다리꼴 평행사변형 마름모

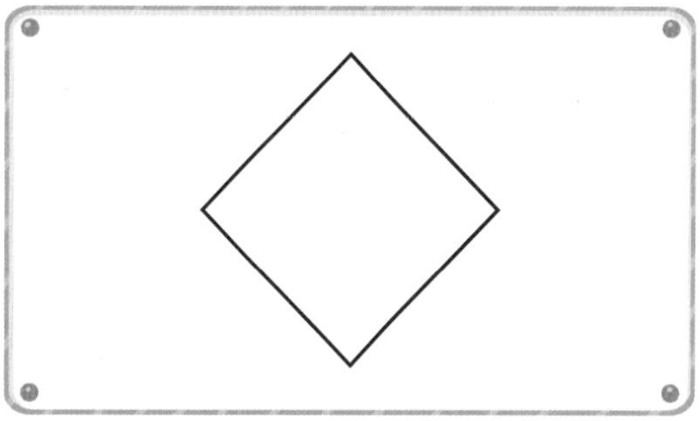

사다리꼴 평행사변형 마름모

정답 90쪽

문제로 개념을 확인해요

그리기

주어진 선분을 한 변으로 하는 도형을 완성하세요.

사다리꼴

평행사변형

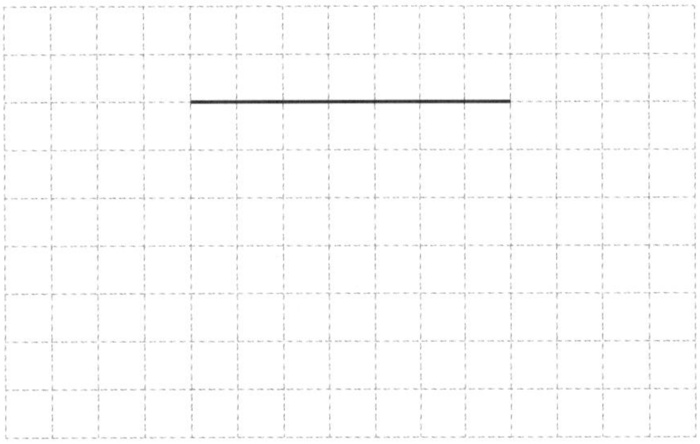

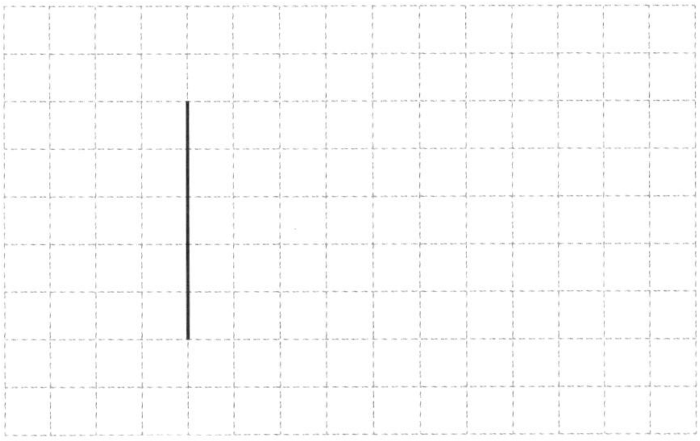

마름모

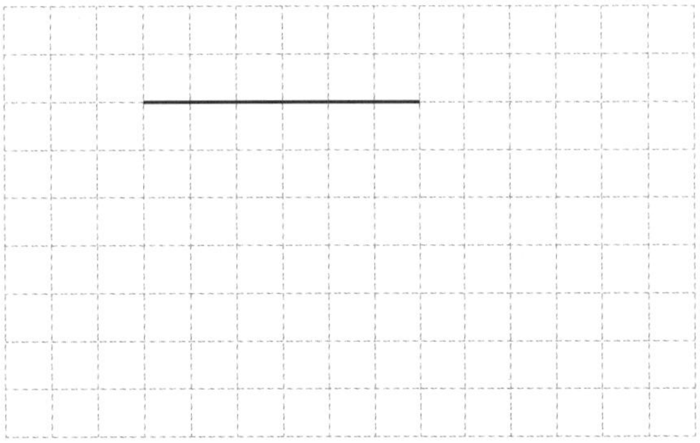

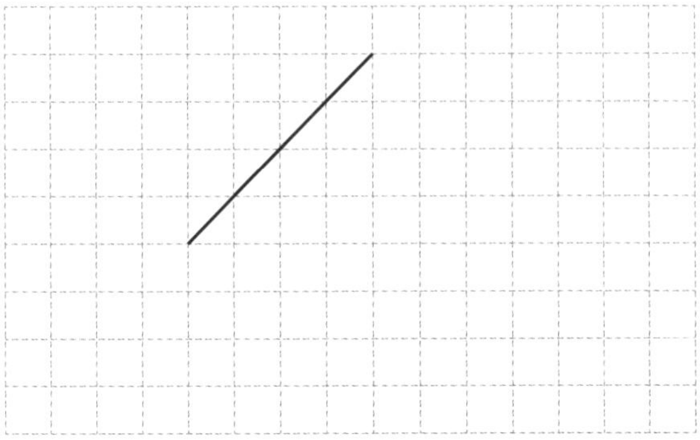

정답 90쪽

문제로 개념을 확인해요

쓰기

꼭짓점을 한 개만 옮겨서 이름에 맞는 도형을 만들려고 합니다.
꼭짓점이 될 수 있는 점의 위치를 찾아 기호를 쓰세요.

사다리꼴

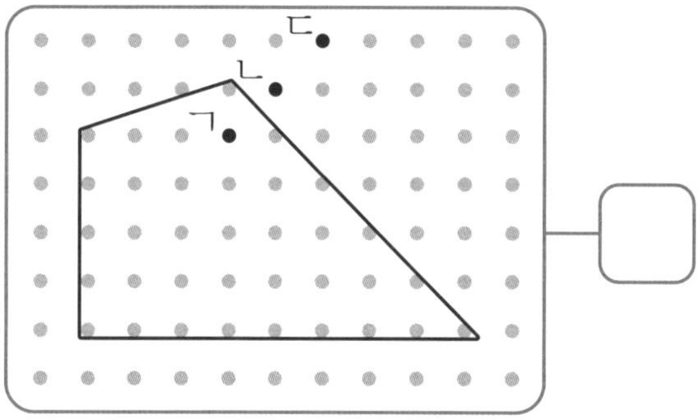

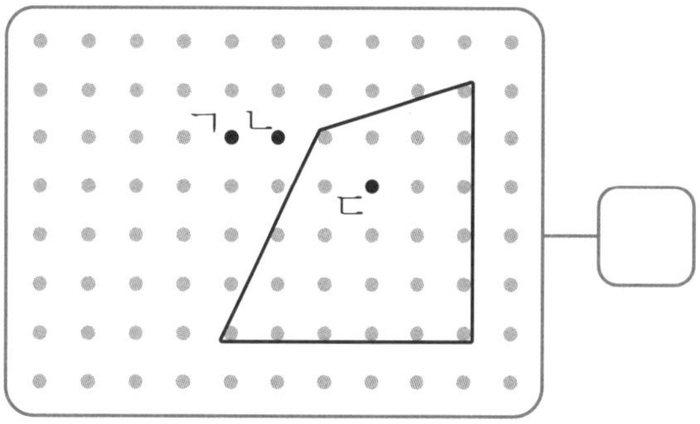

평행사변형

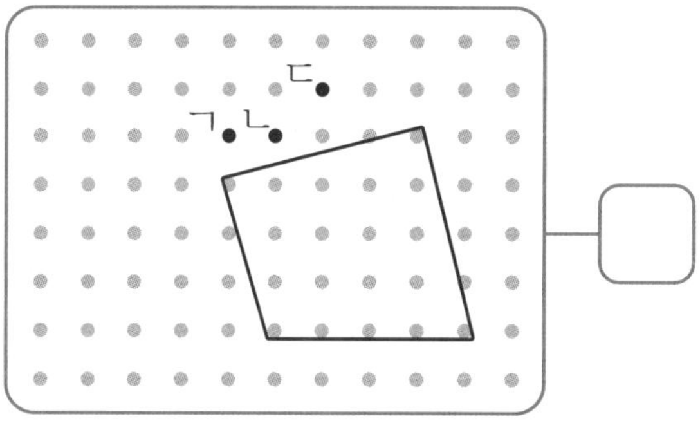

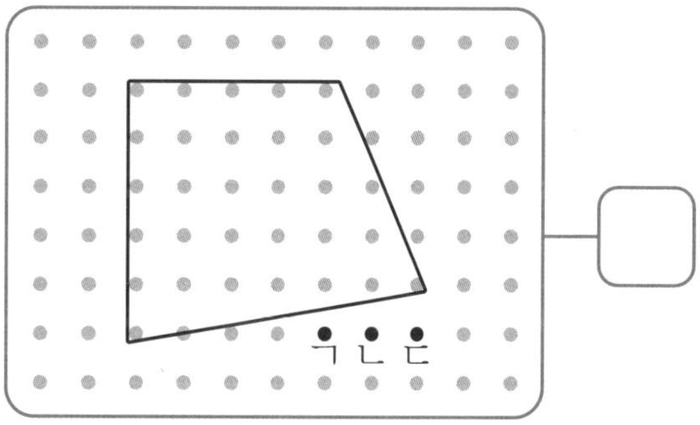

마름모

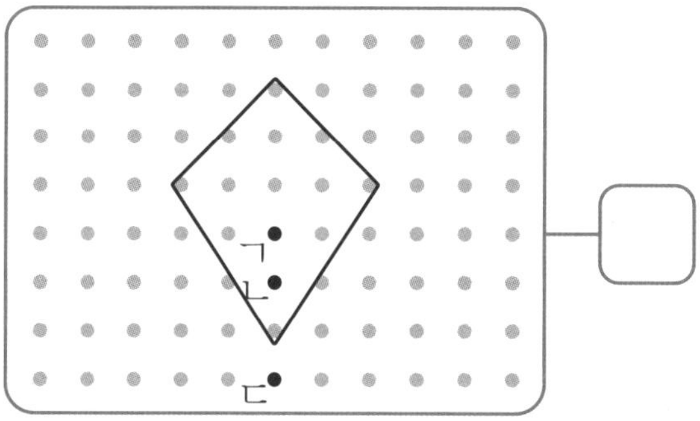

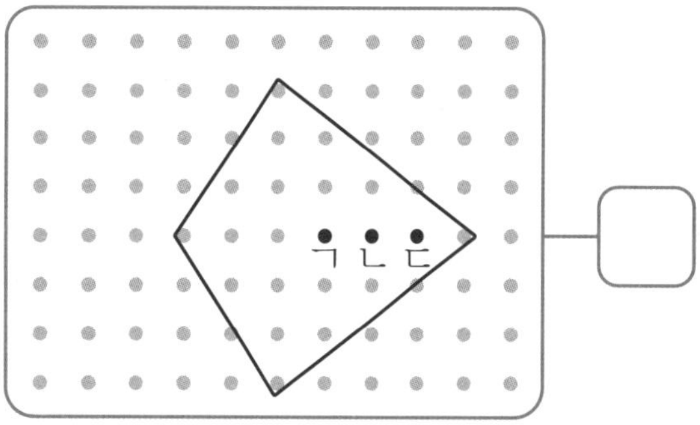

정답 90쪽

교 과 서 개 념 을 배 워 요

10 직사각형과 정사각형의 성질

학습목표 ▸ • 직사각형과 정사각형의 성질을 알 수 있어요.w

네 각의 크기가 모두 직각인 사각형을 **직사각형**이라고 합니다.

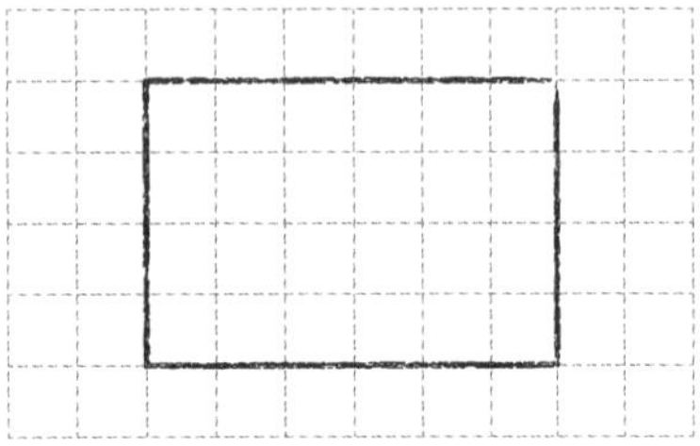

성질 ① 마주 보는 두 쌍의 변이 서로 평행합니다.
성질 ② 마주 보는 두 변의 길이가 같습니다.
성질 ③ 네 각이 모두 직각입니다.

네 각의 크기가 모두 직각이고, 네 변의 길이가 모두 같은 사각형을 **정사각형**이라고 합니다.

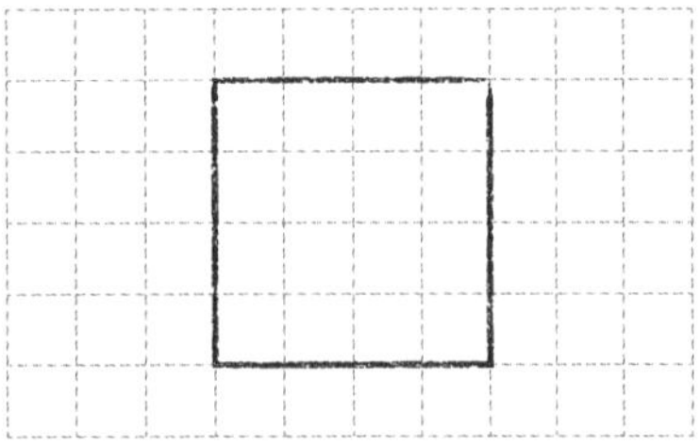

성질 ① 마주 보는 두 쌍의 변이 서로 평행합니다.
성질 ② 네 변의 길이가 같습니다.
성질 ③ 네 각이 모두 직각입니다.

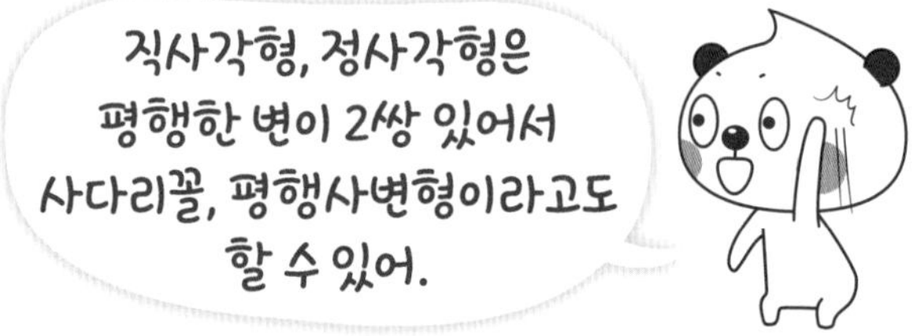

개념문제 **직사각형과 정사각형에 대한 설명입니다. 옳게 말한 것에 ○표 하세요.**

- 직사각형은 네 변의 길이가 모두 같습니다. (　　)
- 정사각형은 마주 보는 각의 크기가 같습니다. (○)
- 직사각형은 평행한 변이 한 쌍 있습니다. (　　)
- 직사각형과 정사각형은 네 각이 모두 직각입니다. (○)
- 정사각형은 마주 보는 두 변의 길이가 같습니다. (○)
- 직사각형은 이웃한 두 변의 길이가 같습니다. (　　)

문제로 개념을 확인해요

색칠하기

도형을 보고 이름이 될 수 있는 것에 모두 색칠하세요.

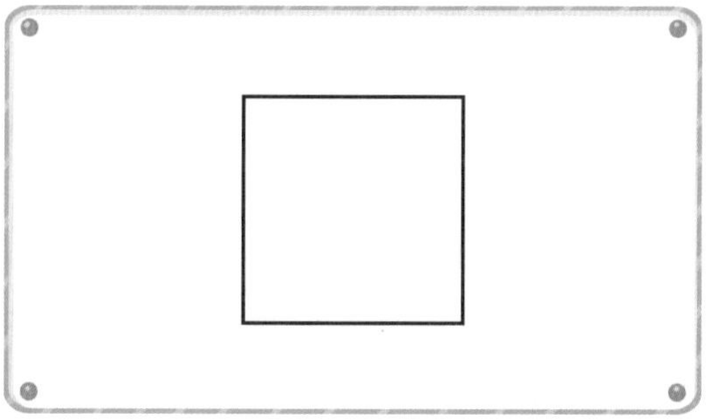

직사각형 정사각형

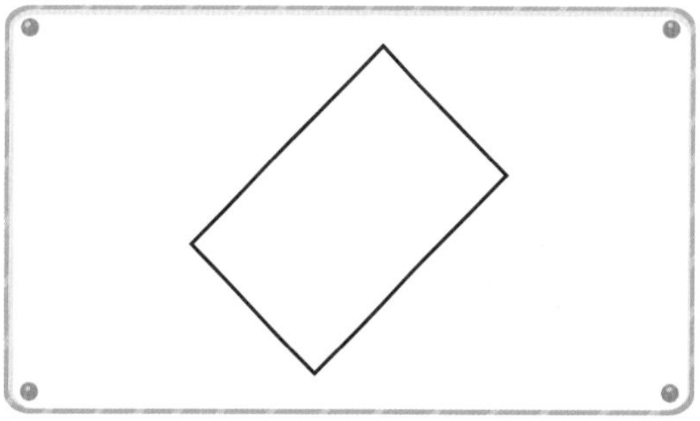

직사각형 정사각형

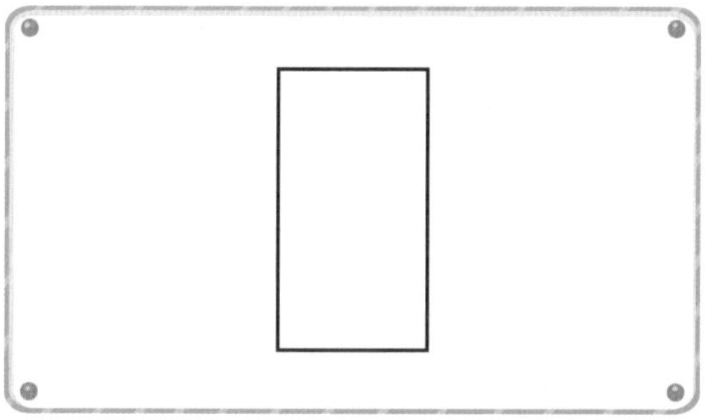

직사각형 정사각형

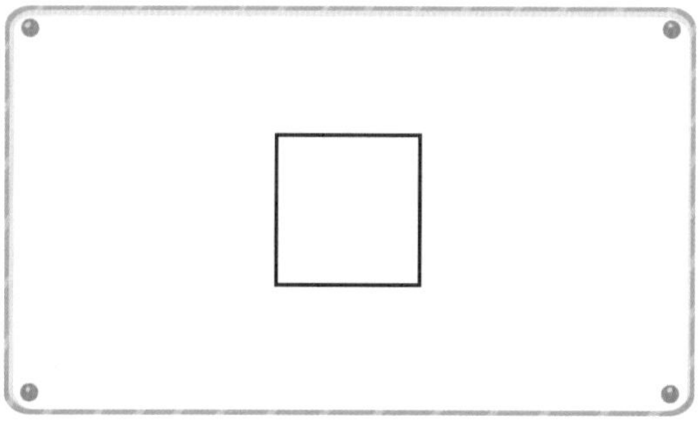

직사각형 정사각형

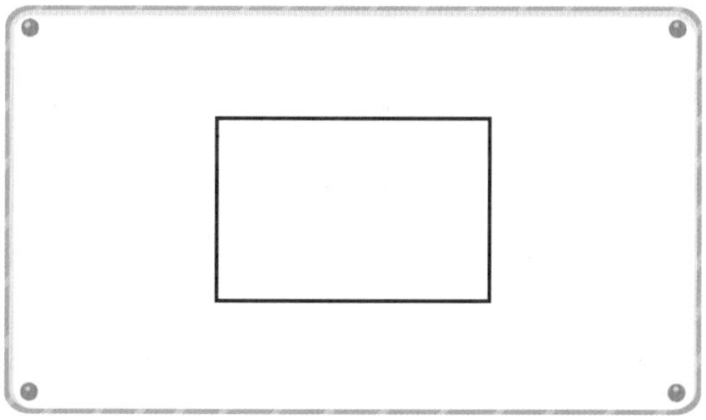

직사각형 정사각형

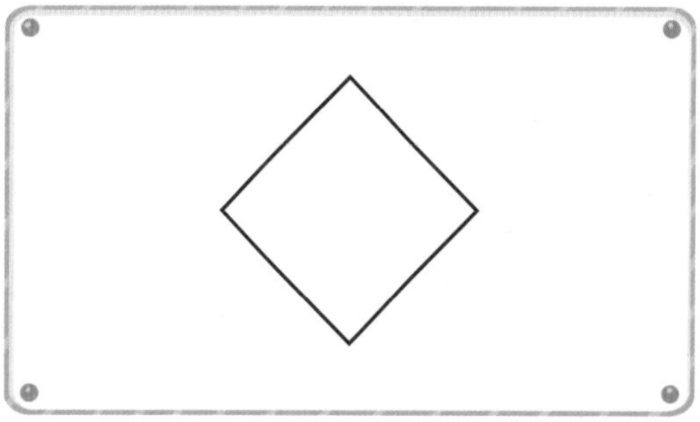

직사각형 정사각형

정답 91쪽

문제로 개념을 확인해요

쓰기

직사각형과 정사각형을 모두 찾아 직사각형에는 '직', 정사각형에는 '정'이라고 쓰세요.

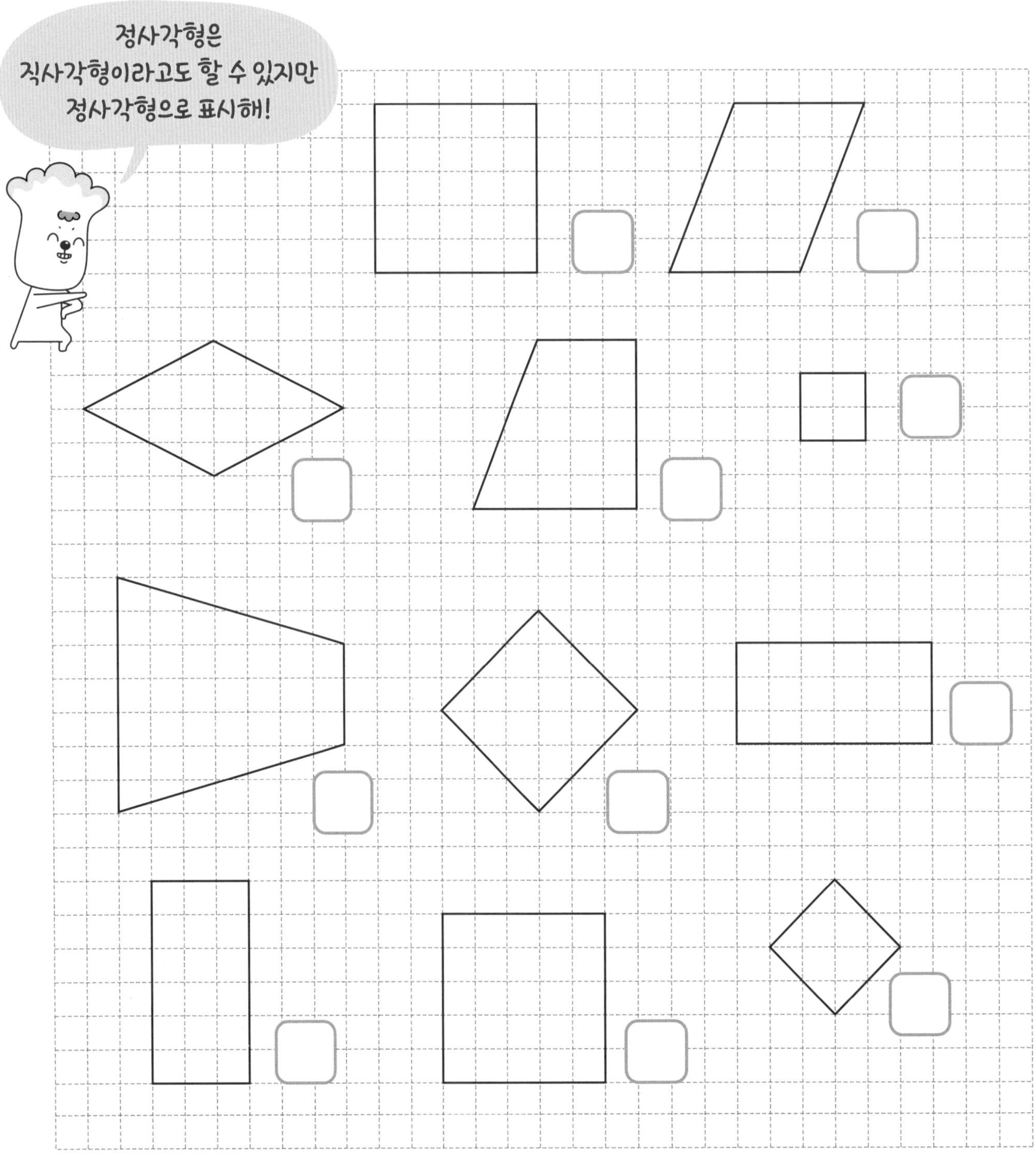

정답 91쪽

문제로 개념을 확인해요

선 잇기

그림을 보고 각 이름에 맞는 도형을 찾아 선으로 이으세요.

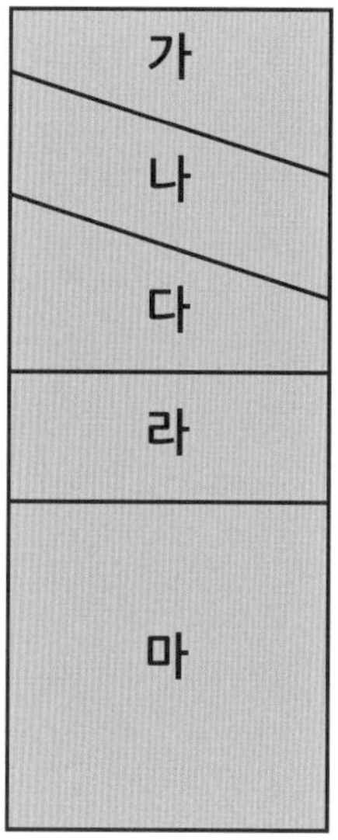

- 사다리꼴
- 평행사변형
- 마름모
- 직사각형
- 정사각형

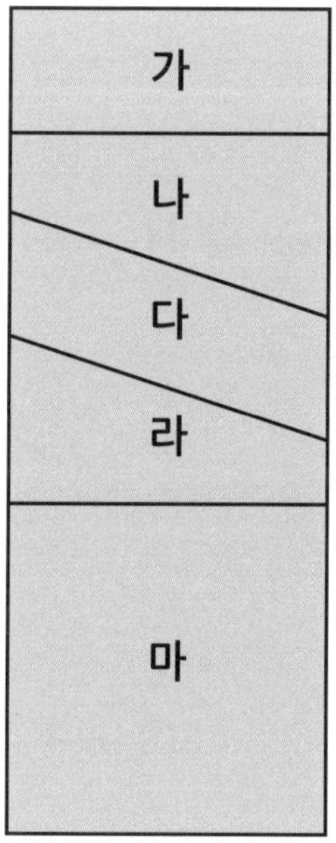

- 사다리꼴
- 평행사변형
- 마름모
- 직사각형
- 정사각형

11 그림과 글로 배워요

1 이등변삼각형과 정삼각형의 세 변의 길이의 합이 같습니다. 정삼각형의 한 변의 길이를 구하세요.

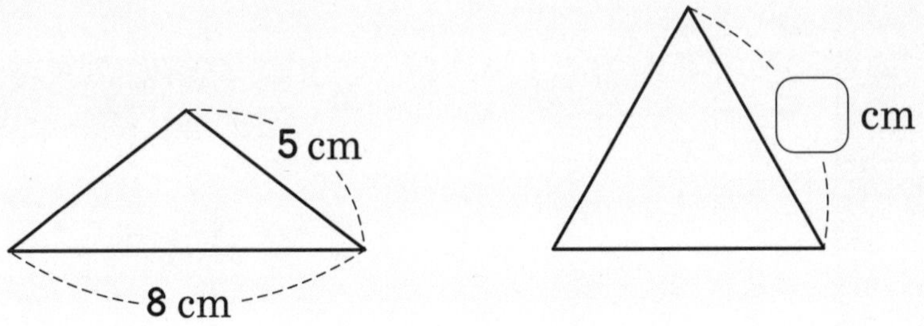

이등변삼각형의 세 변의 길이: ☐ cm, ☐ cm, ☐ cm

(이등변삼각형의 세 변의 길이의 합) = ☐ cm

정삼각형의 한 변의 길이를 ■cm라 할 때

정삼각형의 세 변의 길이의 합: ■ × ☐ = ☐

정삼각형의 한 변의 길이는 ______ cm입니다.

2

정사각형과 마름모를 겹치지 않게 이어 붙여 만든 도형입니다. <u>이 도형의 둘레는 몇 cm인지</u> 구하세요.

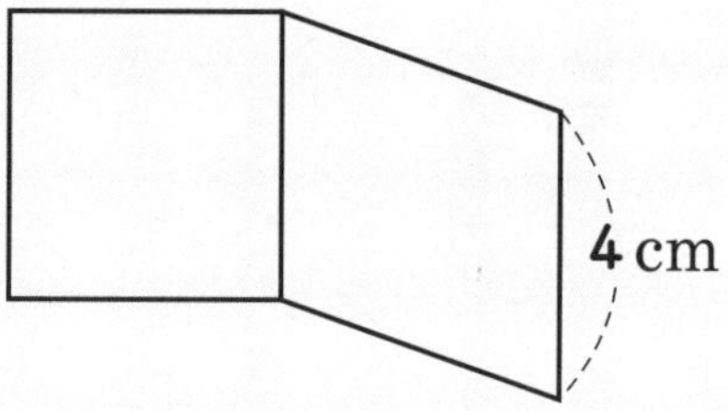

마름모는 네 변의 길이가 (같습니다 , 다릅니다).

마름모의 한 변의 길이: □ cm

▼

정사각형은 네 변의 길이가 (같습니다 , 다릅니다).

정사각형의 한 변의 길이: □ cm

▼

이 도형의 둘레는 마름모의 한 변이 □ 개,

정사각형의 한 변이 □ 개입니다.

▼

이 도형의 둘레는 ________ cm입니다.

3

삼각형의 일부가 지워졌습니다. 이 삼각형은 예각삼각형과 둔각삼각형 중 어떤 삼각형인지 쓰세요.

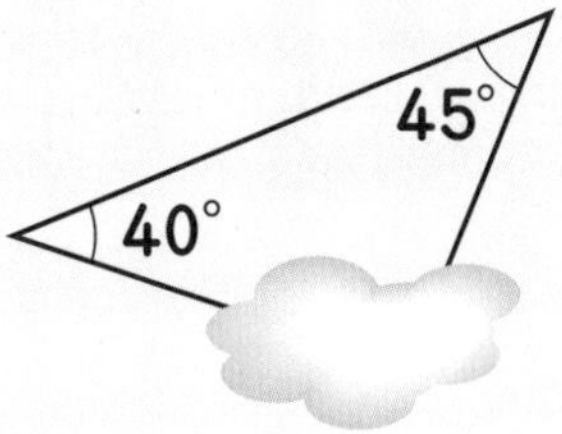

조건 ① 삼각형의 세 각의 합: □°

② 주어진 두 각의 크기: □°, □°

풀이 (지워진 한 각의 크기)=□° −40°−45°=□°

삼각형의 세 각은 각각 예각, 예각, □입니다.

답 삼각형은 ____________ 삼각형입니다.

4

색종이로 그림과 같이 삼각형을 만들었을 때 만든 삼각형이 어떤 삼각형인지 두 가지로 쓰세요.

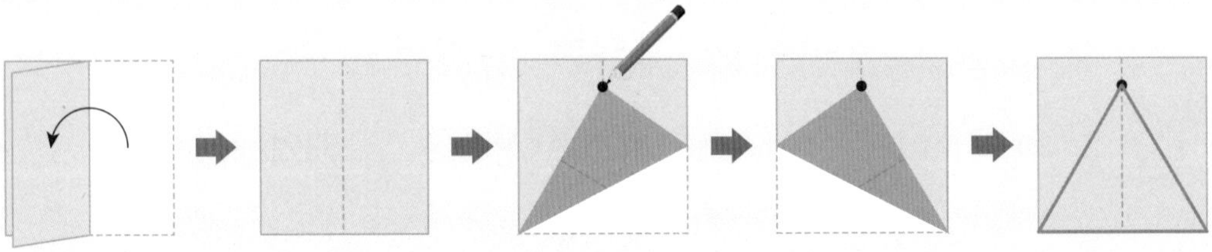

조건 ① 세 변의 길이가 (같습니다 , 다릅니다).

② 세 각의 크기가 모두 90°보다 (작습니다 , 큽니다).

풀이 한 변의 길이와 같아지도록 나머지 두 변의 길이를 정했으므로 세 변의 길이가 같은 □ 삼각형입니다. 세 각의 크기가 모두 예각이므로 □ 삼각형입니다.

답 삼각형은 ____________ 삼각형, ____________ 삼각형입니다.

5

다음 도형은 평행사변형입니다. ㉠과 ㉡의 각도의 합은 몇 도인지 구하세요.

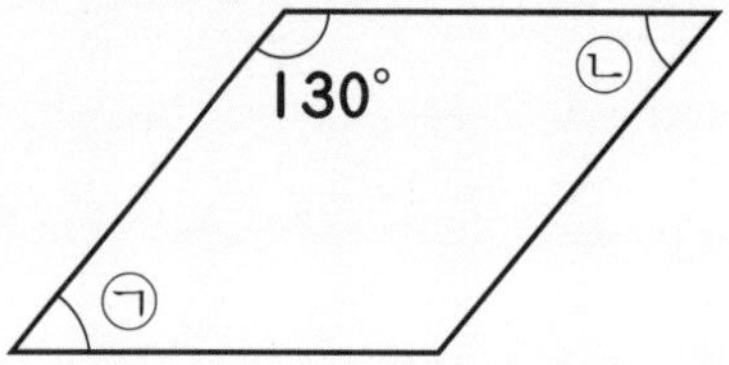

조건
① 평행사변형은 마주 보는 각의 크기가 (같습니다 , 다릅니다).
② 평행사변형은 이웃하는 두 각의 크기의 합이 (180° , 360°)입니다.

풀이
㉠+130°=□°, ㉠=□°
㉡=㉠=□°

답 ㉠과 ㉡의 각도의 합은 ______ °입니다.

6

성호가 도서관에서 본 안내판은 오른쪽 그림과 같은 마름모 모양이었습니다. 이 안내판의 네 변의 길이의 합과 둘레가 같은 정삼각형 모양의 안내판을 만든다면 한 변의 길이는 몇 cm로 해야 하는지 구하세요.

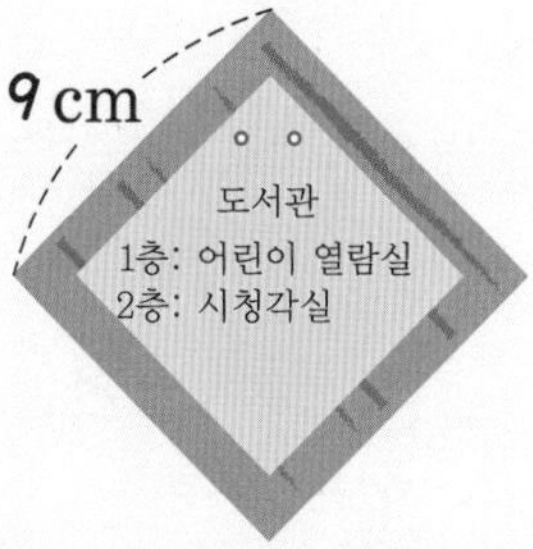

조건
① 마름모는 네 변의 길이가 (같습니다 , 다릅니다).
② 마름모의 네 변의 길이의 합: □ cm
③ 정삼각형은 세 변의 길이가 (같습니다 , 다릅니다).

풀이
(마름모의 네 변의 길이의 합)=□ cm
정삼각형의 한 변의 길이를 ■cm라 하면, □=■+■+■ → ■=□

답 정삼각형의 한 변의 길이는 ______ cm입니다.

12 마무리 평가

✅ 이등변삼각형에는 '이', 정삼각형에는 '정'을 쓰세요

❶ 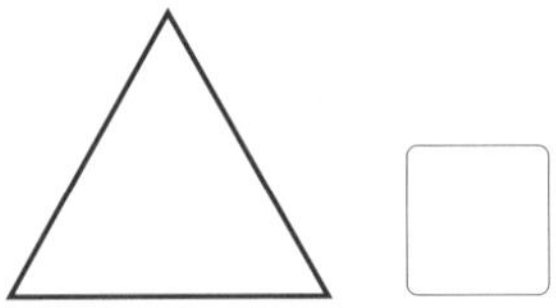

❷ 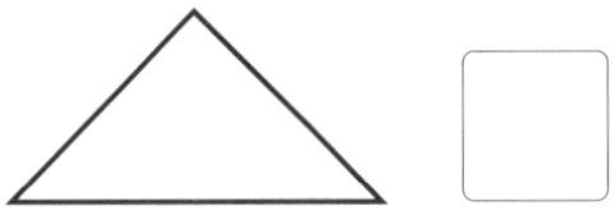

❸ 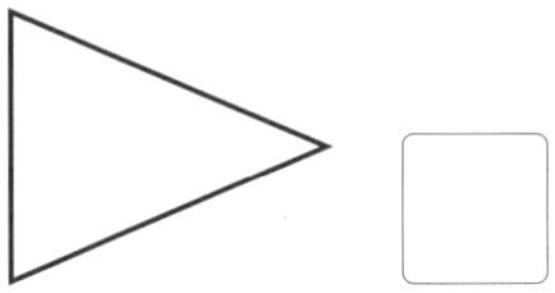

✅ 예각삼각형에는 '예', 직각삼각형에는 '직', 둔각삼각형에는 '둔'을 쓰세요.

❹ 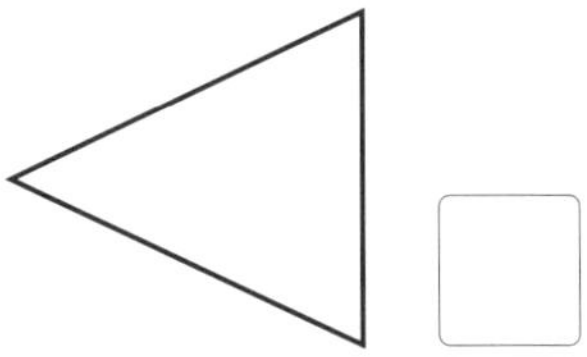

❺ 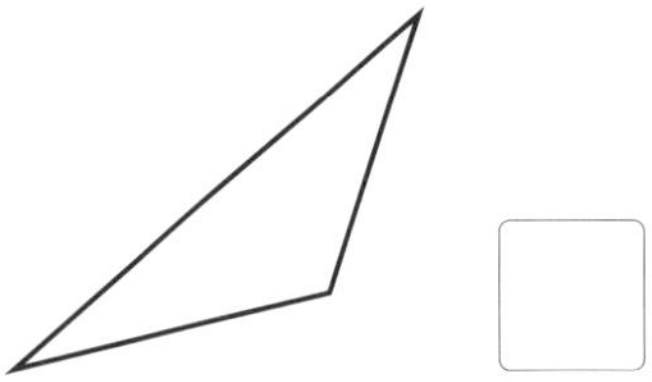

❻ 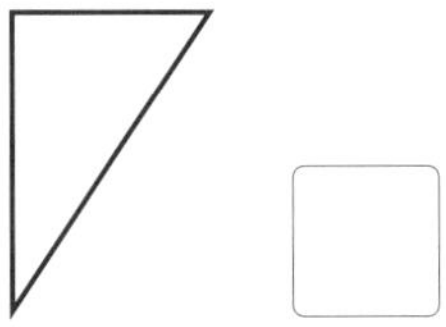

✅ 이등변삼각형입니다. □ 안에 알맞은 수를 써넣으세요.

❼ 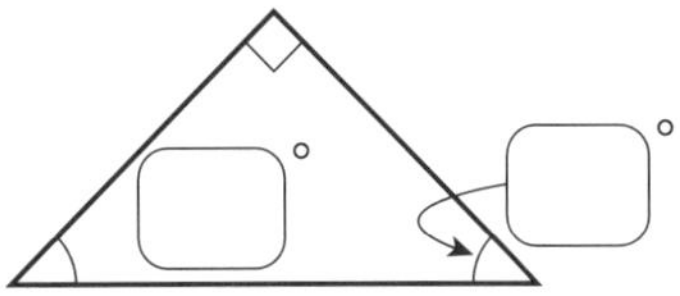

❽ 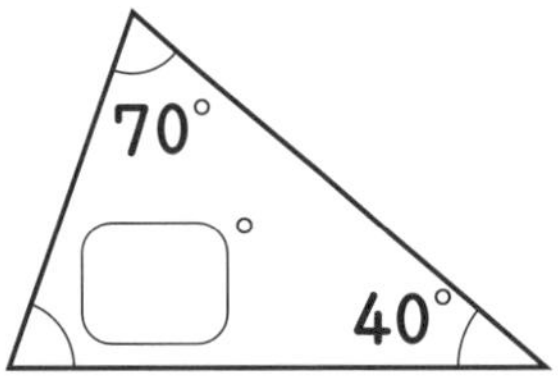

❾ 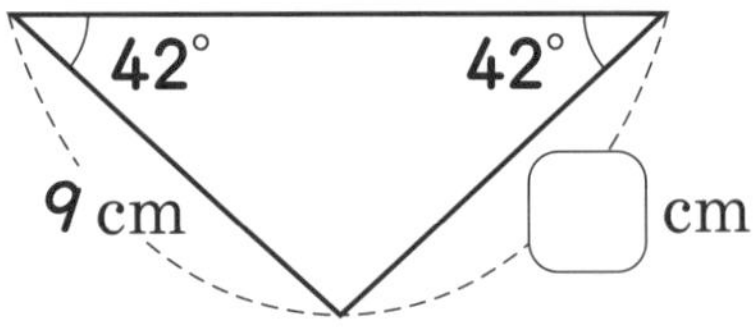

✅ 정삼각형입니다. □ 안에 알맞은 수를 써넣으세요.

❿ 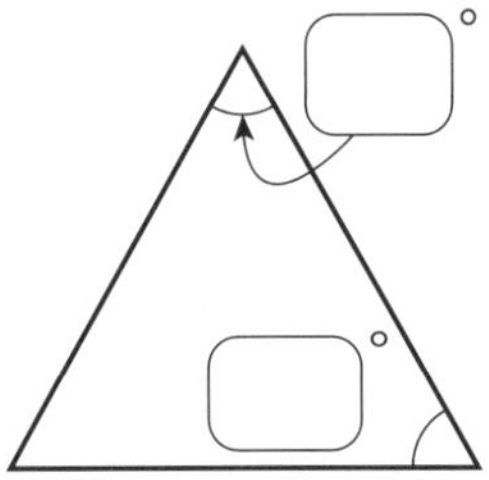

⓫ 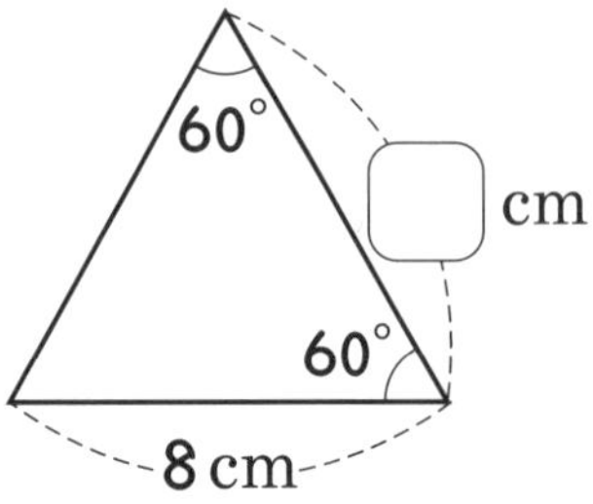

⓬ 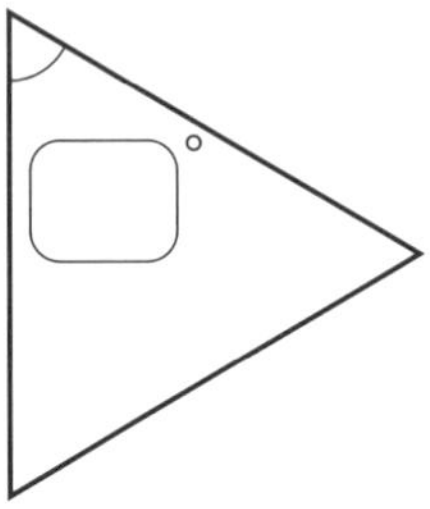

표준 시간 20분 | 맞힌 개수 개

서로 수직인 변에 ○표 하세요.

13
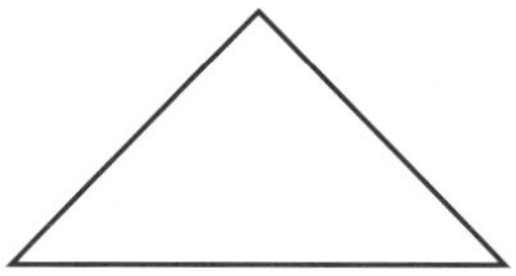

14
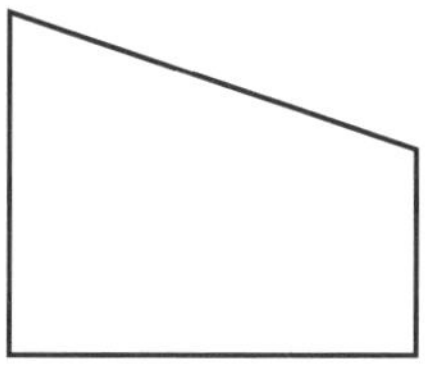

15
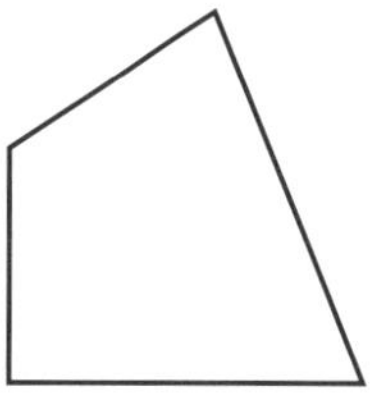

평행선 사이의 거리가 몇 cm인지 재어 보세요.

16
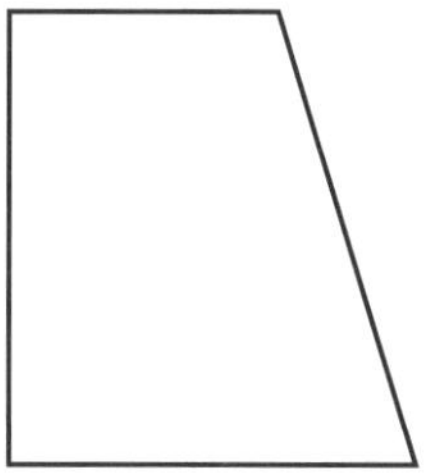

☐ cm

17
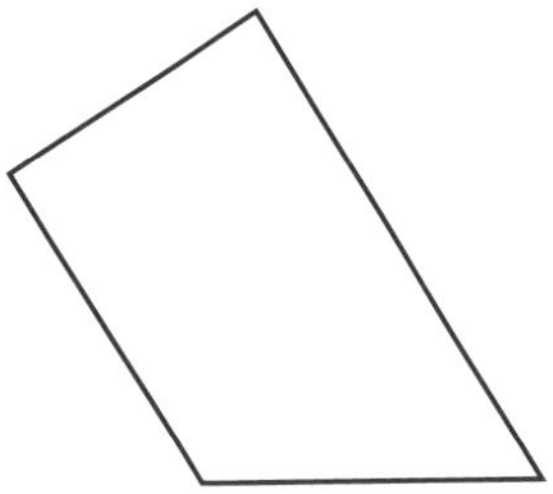

☐ cm

그림을 보고 각 이름에 맞는 도형을 찾아 선을 이으세요.

18
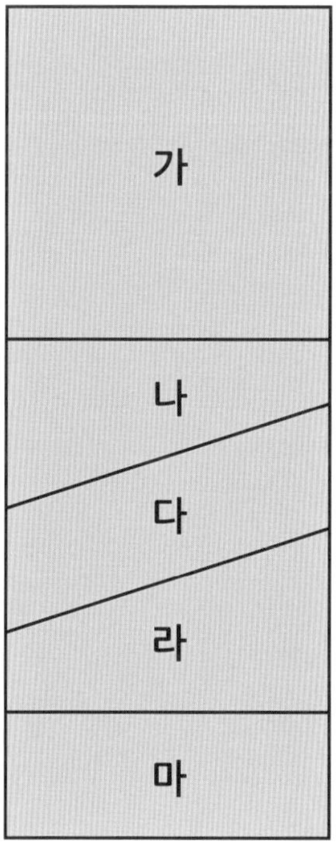

- 사다리꼴
- 평행사변형
- 마름모
- 직사각형
- 정사각형

한눈에 보는 개념 노트

1 이등변삼각형, 정삼각형

- 이등변삼각형: 두 변의 길이가 같은 삼각형
  (성질) 길이가 같은 두 변에 있는 두 각의 크기가 같습니다.
- 정삼각형: 세 변의 길이가 같은 삼각형
  (성질) 세 각의 크기가 모두 60°로 같습니다.

이등변삼각형과 정삼각형의 관계

- 정삼각형은 세 변의 길이가 모두 같은 삼각형이므로 두 변의 길이가 같은 이등변삼각형이라고 할 수 있습니다.
- 이등변삼각형은 세 변의 길이 같을 수도 있고 다를 수도 있으므로 정삼각형이라고 할 수 없습니다.

2 예각삼각형, 둔각삼각형

- 예각삼각형: 세 각이 모두 예각인 삼각형
- 둔각삼각형: 한 각이 둔각인 삼각형

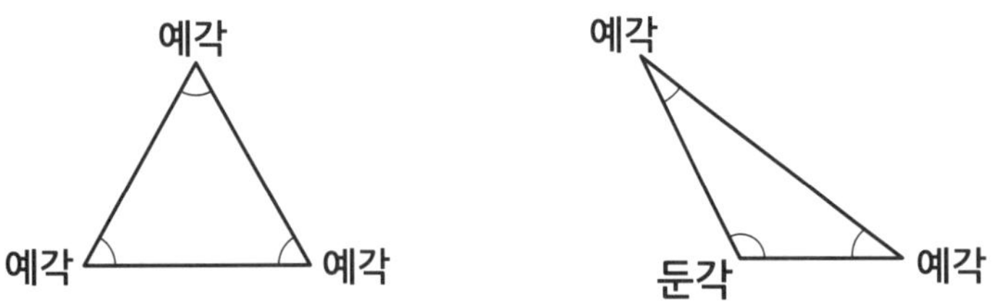

정삼각형은 세 각의 크기가 모두 60°이므로 세 각이 모두 예각인 예각삼각형이라고 할 수 있습니다.

3 수직, 수선, 평행, 평행선, 평행선 사이의 거리

■ 두 직선이 만나서 이루는 각이 직각일 때의 두 직선은 서로 수직이라하고, 두 직선이 서로 수직으로 만나면 한 직선을 다른 직선에 대해 수선이라고 합니다.

■ 서로 만나지 않는 두 직선을 평행하다하고, 평행한 두 직선을 평행선이라고 합니다. 평행선의 한 직선에서 다른 직선에 수선을 그었을 때 수선의 길이를 평행선 사이의 거리라고 합니다.

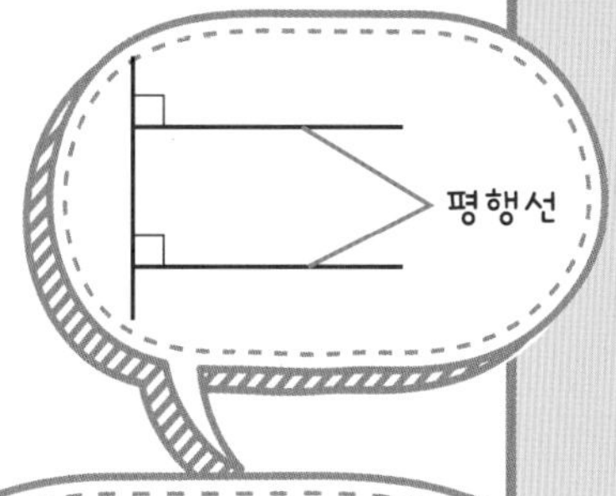

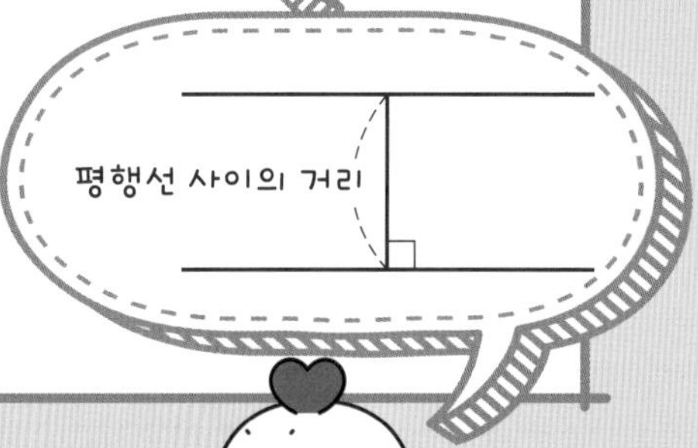

4 사다리꼴, 평행사변형, 마름모

■ 사다리꼴: 평행한 변이 한 쌍이라도 있는 사각형

■ 평행사변형: 마주 보는 두 쌍의 변이 서로 평행한 사각형

(성질) · 마주 보는 두 변의 길이가 같습니다.
· 마주 보는 두 각의 크기가 같습니다.
· 이웃한 두 각의 크기의 합이 180°입니다.

■ 마름모: 네 변의 길이가 모두 같은 사각형

(성질) · 마주 보는 두 각의 크기가 같습니다.
· 이웃한 두 각의 크기의 합이 180°입니다.
· 마주 보는 꼭짓점끼리 이은 선분이 서로 수직으로 만나고, 서로 길이가 같게 나눕니다.

5 직사각형, 정사각형의 성질

■ 직사각형의 성질
· 마주 보는 두 쌍의 변이 서로 평행합니다.
· 마주 보는 두 변의 길이가 같습니다.
· 네 각이 모두 직각입니다.

■ 정사각형의 성질
· 마주 보는 두 쌍의 변이 서로 평행합니다.
· 네 변의 길이가 모두 같습니다.
· 네 각이 모두 직각입니다.

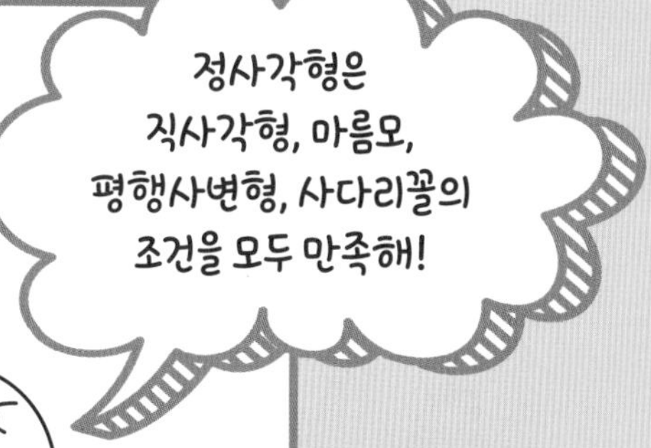

수학 퍼즐 맛보기

논리 공간

칼로 만든 삼각형

칼들 중 세 개만 움직여서 세 개의 정삼각형을 네 개의 정삼각형으로 바꿔 보세요.

해답

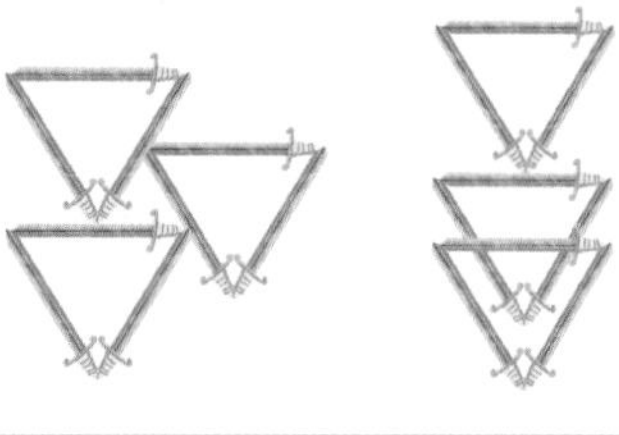

브레인알파「수학 퍼즐」교재 내용입니다.

수학 퍼즐 맛보기

수리 변별

피라미드 속 삼각형

피라미드는 여러 개의 삼각형으로 이루어져 있어요.
크고 작은 삼각형은 모두 몇 개일까요?

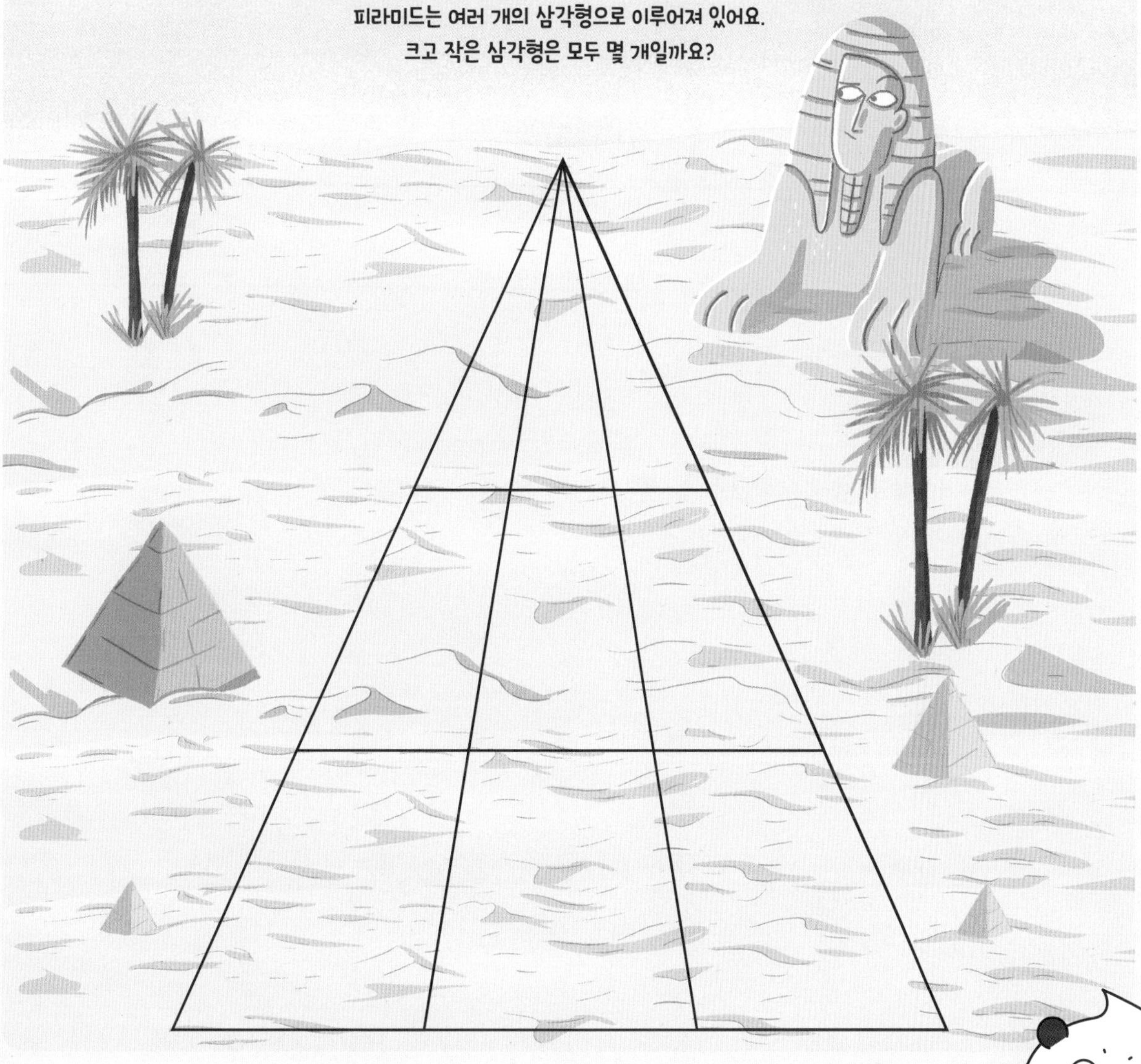

해답 ▶ 삼각형의 개수는 모두 18개예요.

브레인알파 「패턴 퍼즐」 교재 내용입니다.

2. 다각형

지도 가이드

다각형 4학년 2학기

1. 다각형과 정다각형을 알고, 대각선의 의미를 이해합니다.
2. 다각형으로 된 모양 조각을 이용해서 여러 가지 모양을 만들어 보고, 테두리만 주어진 모양을 보고 예상해서 모양 조각으로 채울 수 있습니다.

학습 계획표

번호	쪽수	공부한 날	성취도
01	60~63쪽	월 일	☺ 😐 ☹
02	64~67쪽	월 일	☺ 😐 ☹
03	68~71쪽	월 일	☺ 😐 ☹
04	72~75쪽	월 일	☺ 😐 ☹
05	76~79쪽	월 일	☺ 😐 ☹
06	80~81쪽	월 일	☺ 😐 ☹

교 과 서 개 념 을 배 워 요

01 다각형과 정다각형

학습목표
- 다각형과 정다각형의 뜻과 이름을 알 수 있어요.
- 다각형을 그리고 변과 꼭짓점의 수를 알 수 있어요.

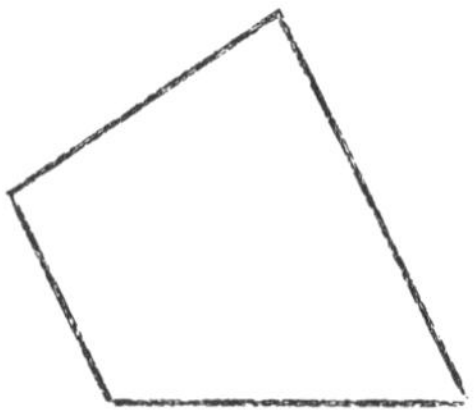

선분으로만 둘러싸여 있으므로 다각형이에요.

굽은 선이 있어서 다각형이 아니에요.

선분으로 둘러싸여 있지 않고 열려 있어서 다각형이 아니에요.

다각형은 변의 수에 따라
변이 6개이면 육각형,
변이 7개이면 칠각형,
변이 8개이면 팔각형이라고 합니다.

변의 길이와 각의 크기가 모두 같은 다각형을 **정다각형**이라고 합니다.

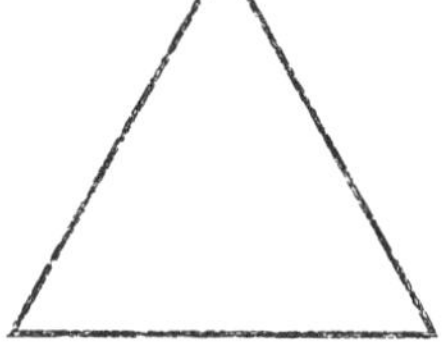

정삼각형

정사각형

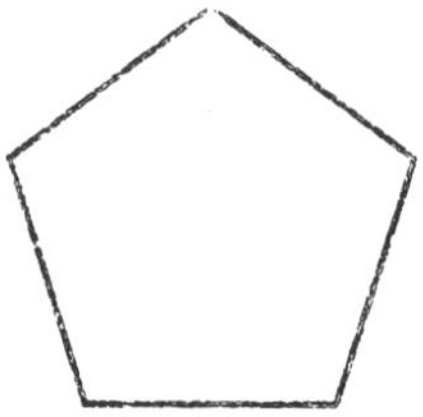

정오각형

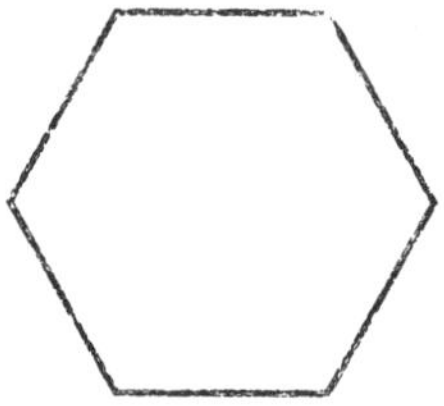

정육각형

문제로 개념을 확인해요

쓰기

도형을 보고 물음에 답하세요.

❶ 다각형을 모두 찾아 기호를 쓰세요.

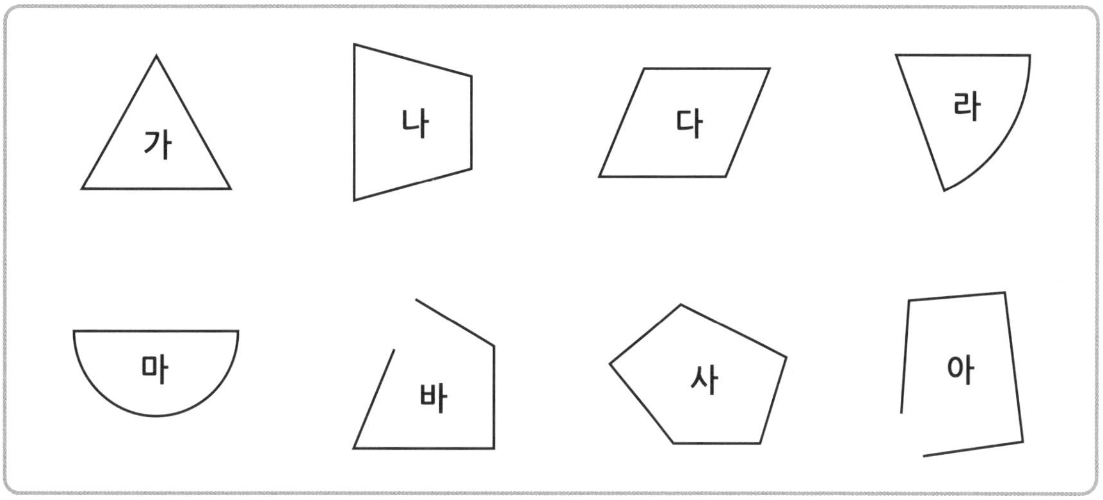

(　　　　　　　　　　　　　　　　)

❷ 정다각형을 모두 찾아 기호를 쓰세요.

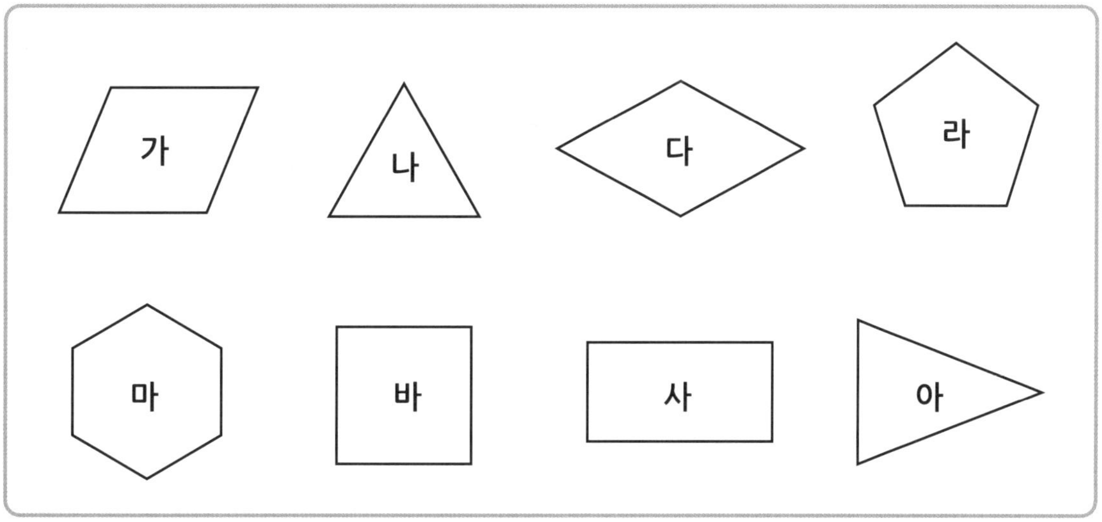

(　　　　　　　　　　　　　　　　)

정답 92쪽

문제로 개념을 확인해요

선 잇기

관계 있는 것끼리 선으로 이어 보세요.

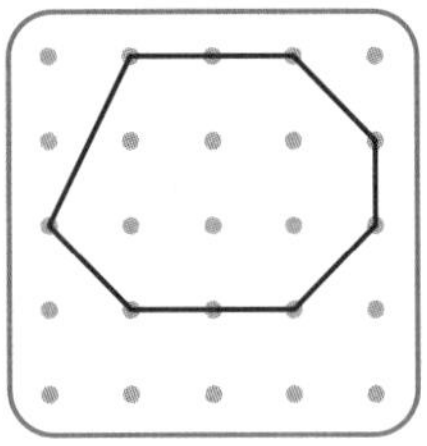	삼각형
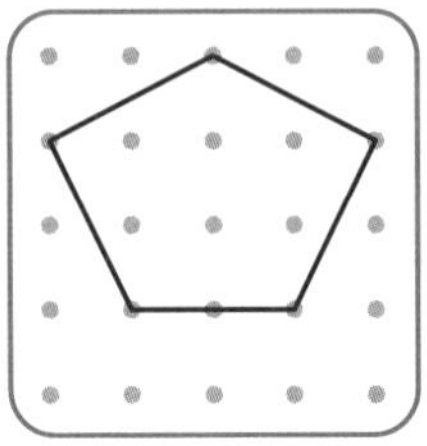	사각형
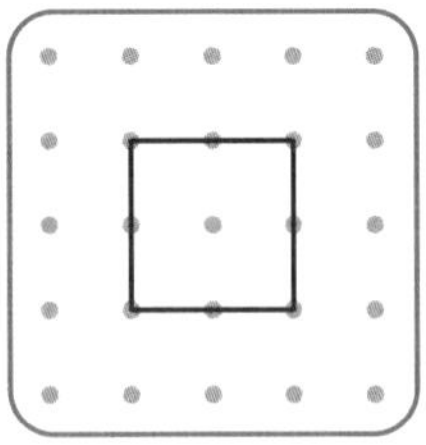	오각형
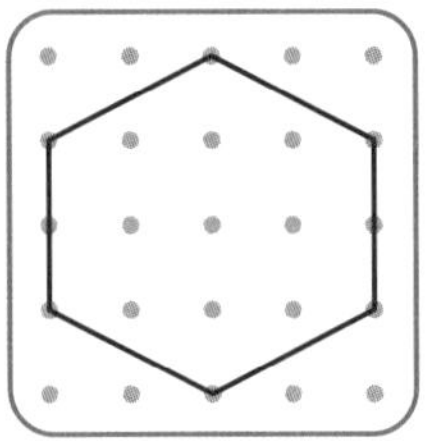	육각형
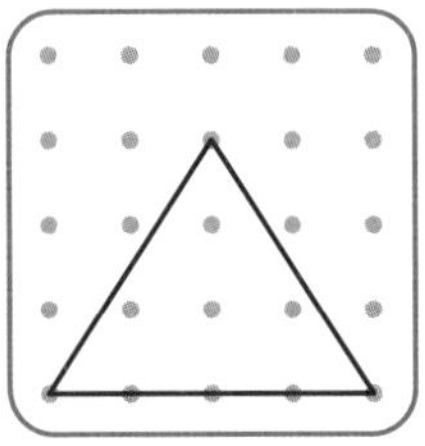	칠각형

정답 92쪽

문제로 개념을 확인해요

그리기

점 종이에 그려진 선분을 이용하여 다각형을 완성해 보세요.

삼각형

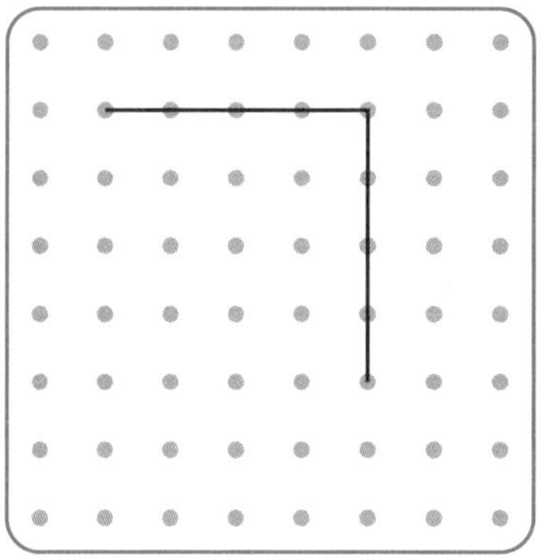

사각형

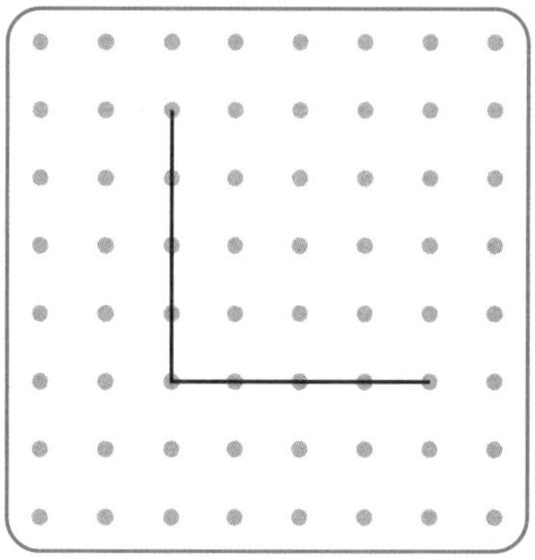

오각형

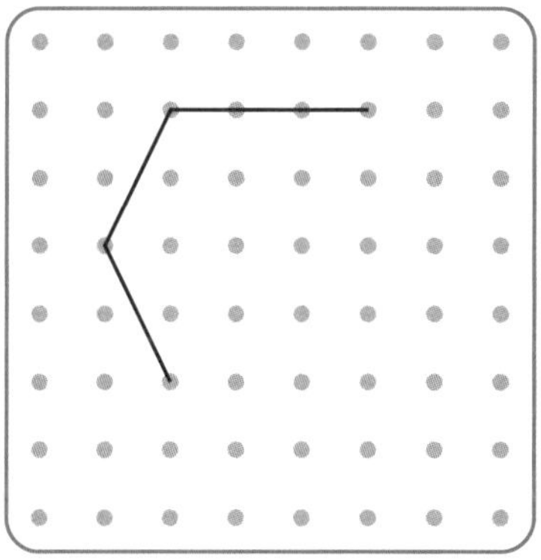

육각형

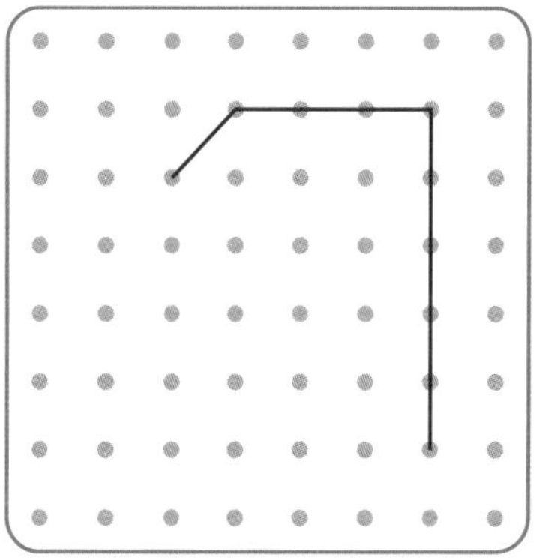

칠각형

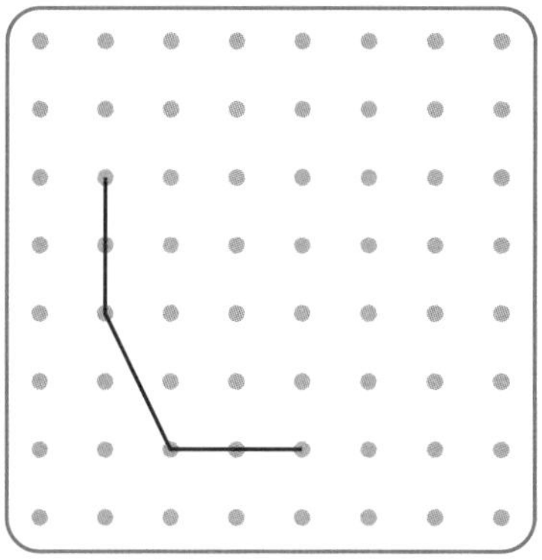

팔각형

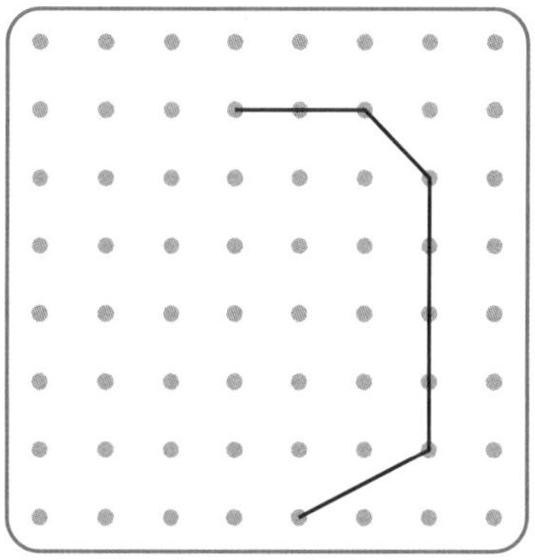

정답 92쪽

교 과 서 개 념 을 배 워 요

02 대각선

학습목표
- 대각선의 뜻을 알 수 있어요.
- 여러 가지 다각형에 대각선을 그어 보고 대각선의 수를 알 수 있어요.

다각형에서 선분 ㄱㄷ, 선분 ㄴㄹ과 같이 서로 이웃하지 않는 두 꼭짓점을 이은 선분을 **대각선**이라고 합니다.

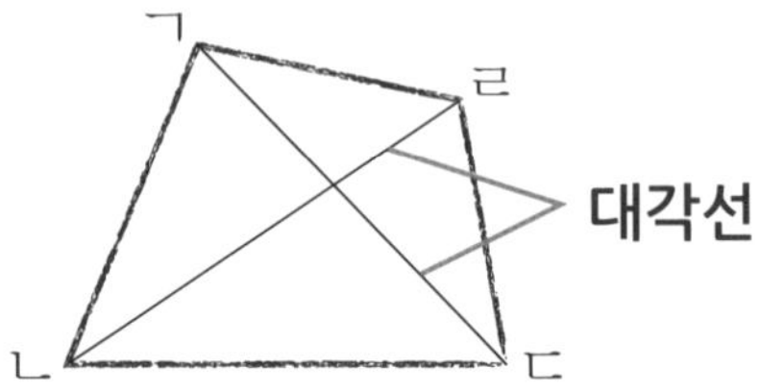

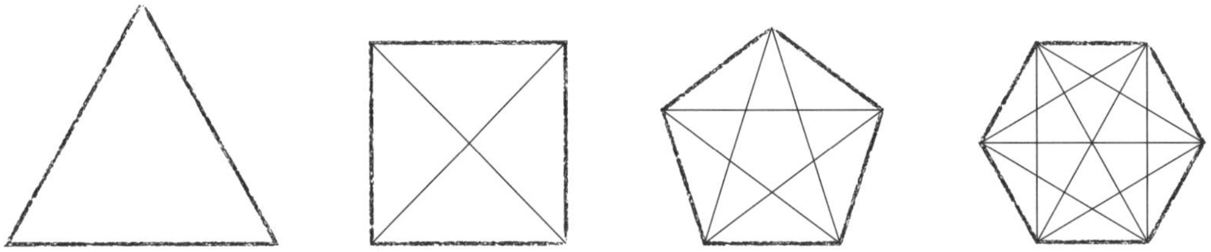

- 삼각형은 모든 꼭짓점이 이웃하고 있어서 대각선을 그을 수 없습니다.
- 사각형은 2개의 대각선을 그을 수 있습니다.
- 오각형은 5개의 대각선을 그을 수 있습니다.
- 육각형은 9개의 대각선을 그을 수 있습니다.

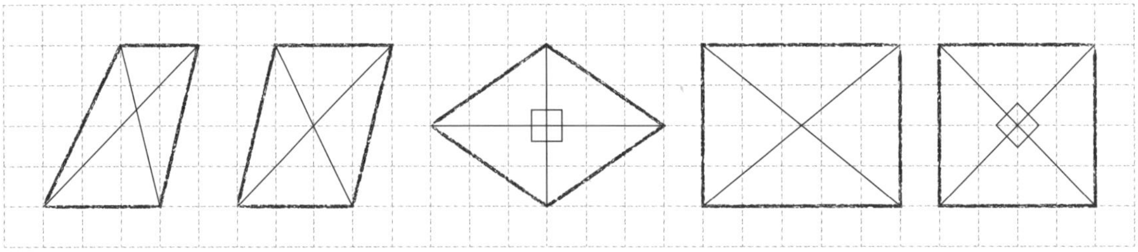

사다리꼴　　평행사변형　　마름모　　직사각형　　정사각형

- 모든 사각형에 그을 수 있는 대각선은 2개입니다.
- 직사각형, 정사각형은 두 대각선의 길이가 같습니다.
- 마름모, 정사각형은 두 대각선이 서로 수직으로 만납니다.
- 평행사변형, 마름모, 직사각형, 정사각형은 한 대각선이 다른 대각선을 둘로 똑같이 나눕니다.

문제로 개념을 확인해요

그리기

각 도형에 대각선을 모두 그어 보세요.

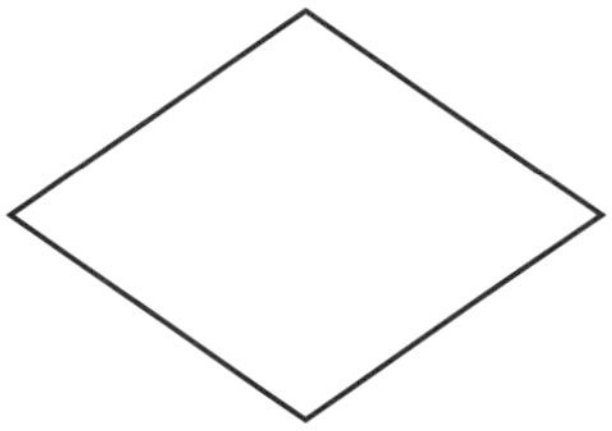
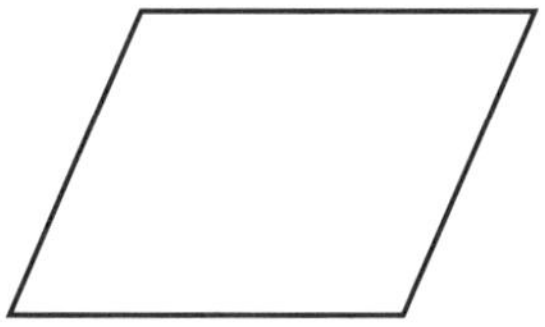

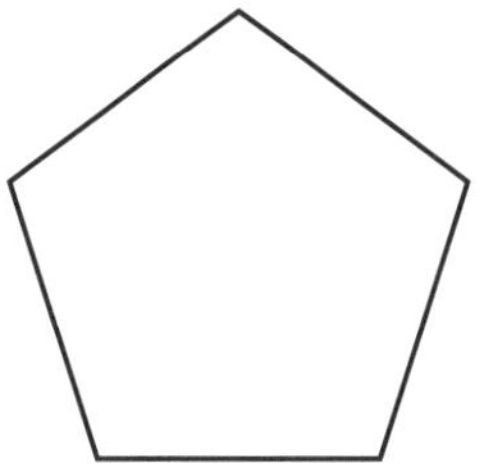

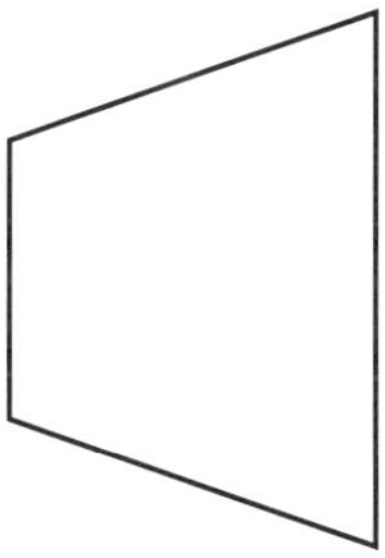
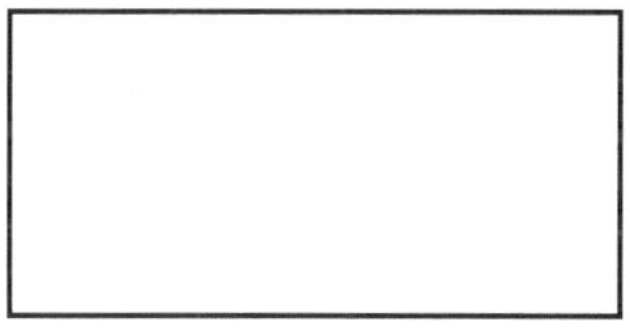
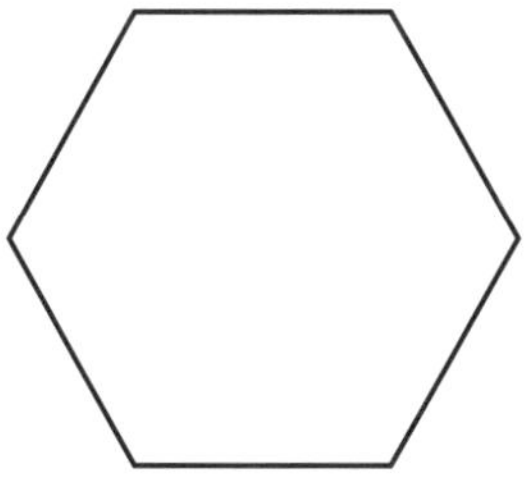

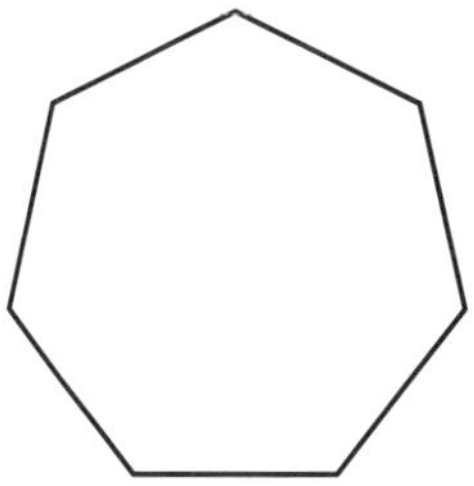

문제로 개념을 확인해요

쓰기

각 도형에서 그을 수 있는 대각선의 수를 쓰세요.

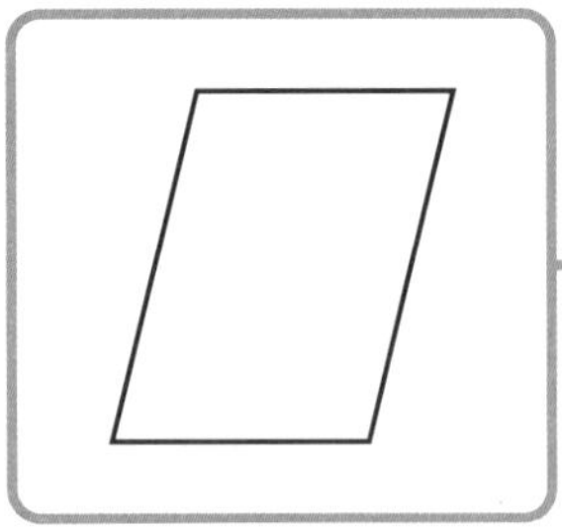

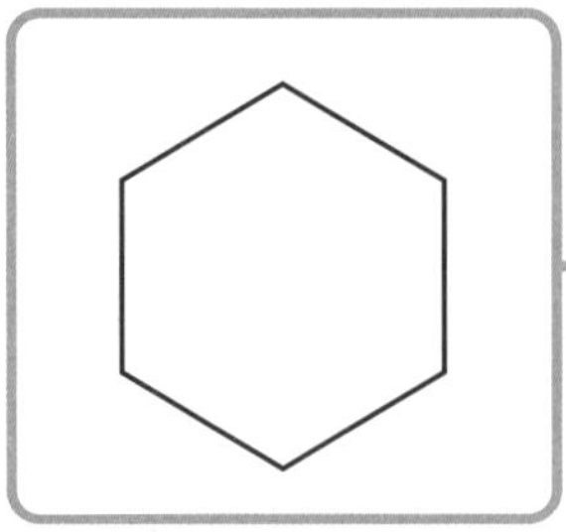

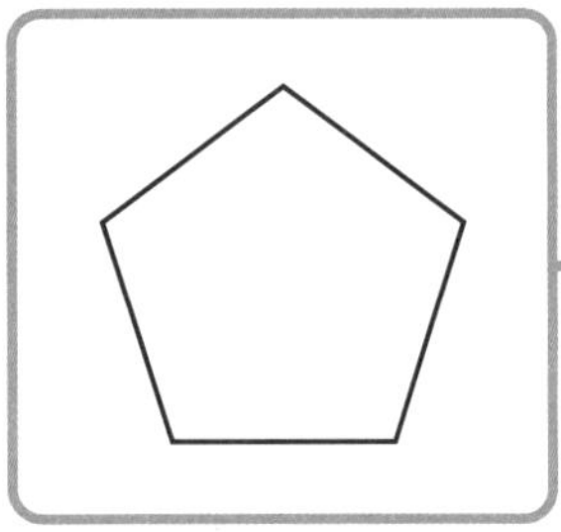

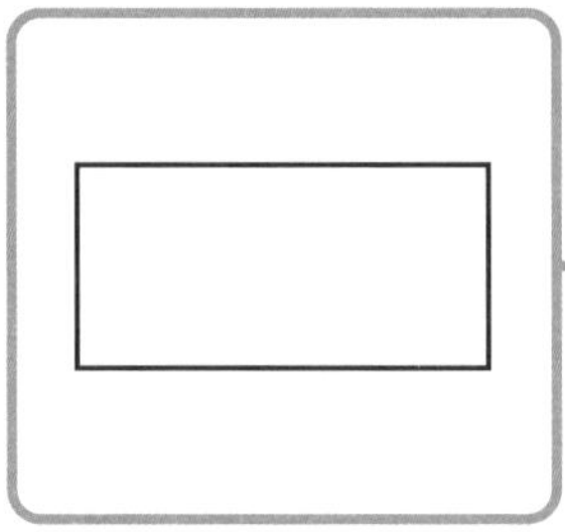

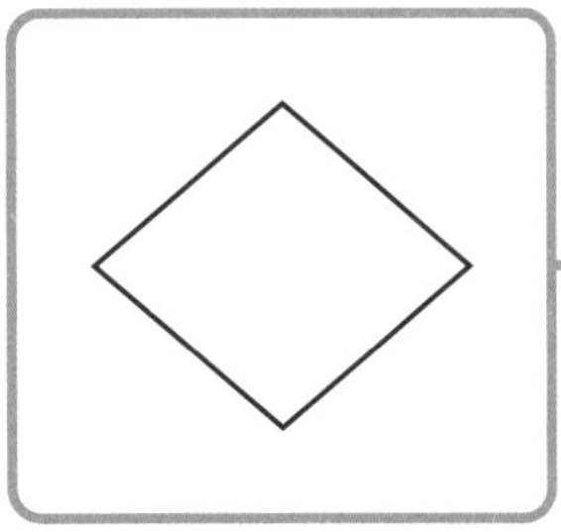

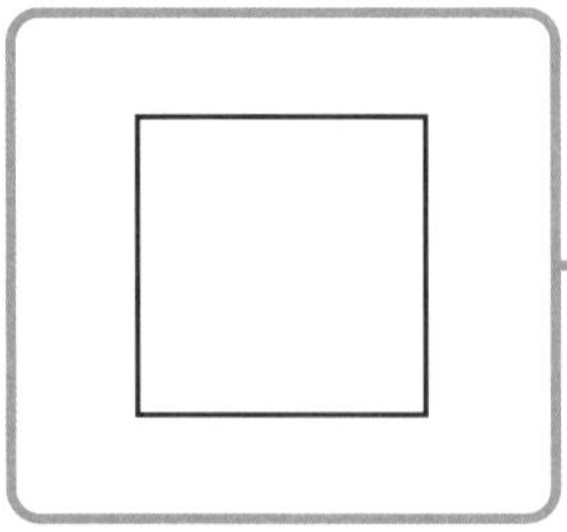

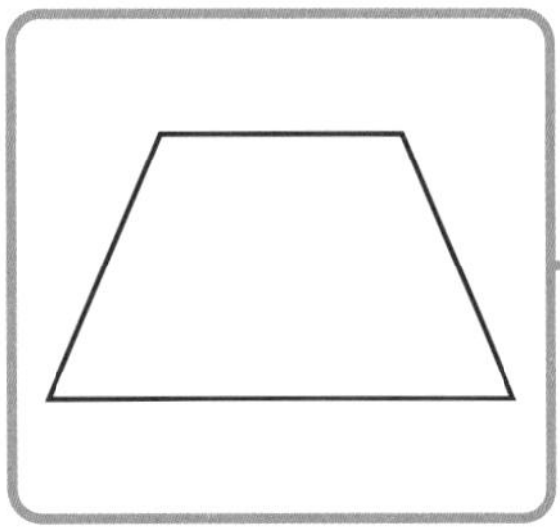

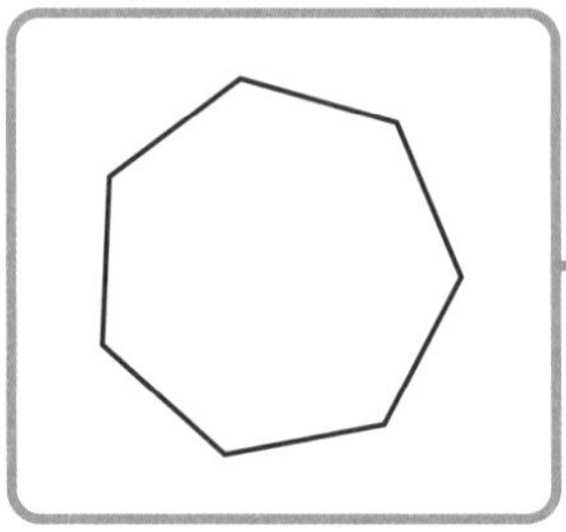

문제로 개념을 확인해요

표시하기

도형을 보고 물음에 답하세요.

❶ 두 대각선의 길이가 서로 같은 도형에 ○표 하세요.

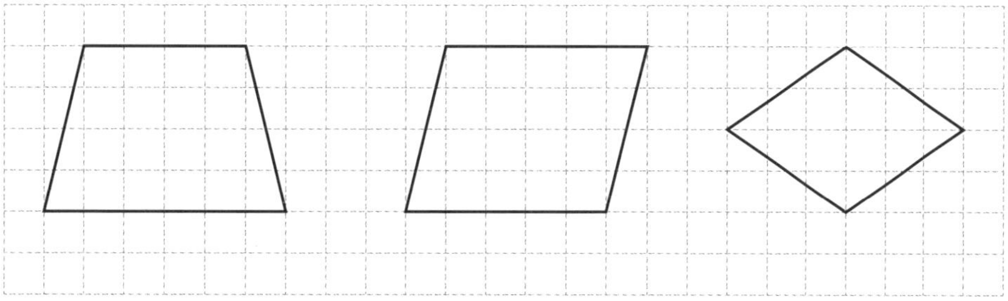

(　　　　) (　　　　) (　　　　)

❷ 두 대각선이 서로 수직으로 만나는 도형에 모두 ○표 하세요.

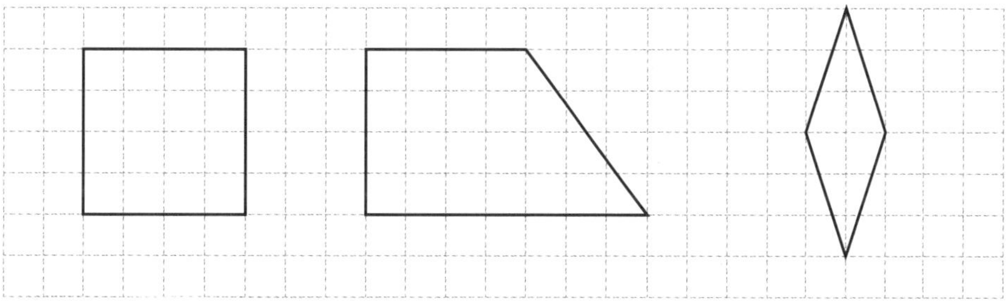

(　　　　) (　　　　) (　　　　)

❸ 한 대각선이 다른 대각선을 둘로 똑같이 나누는 도형에 ○표 하세요.

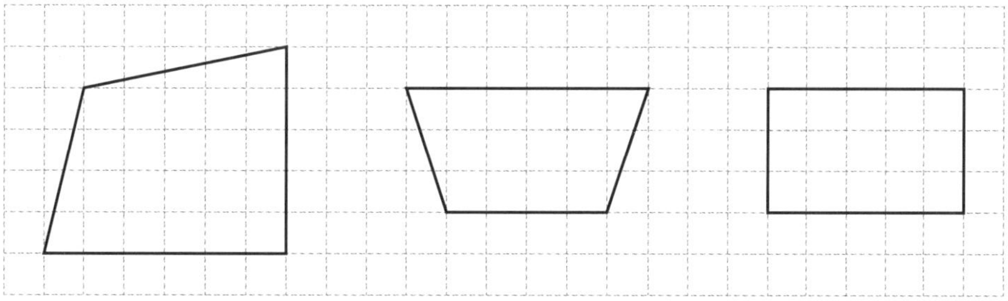

(　　　　) (　　　　) (　　　　)

정답 92쪽

교 과 서 개 념 을 배 워 요

03 모양 만들기

학습목표 ▸ 모양 조각을 이용하여 다각형과 여러 가지 모양을 만들 수 있어요.

6가지 종류의 모양 조각을 이용해서 여러 가지 모양을 만들 수 있어요.

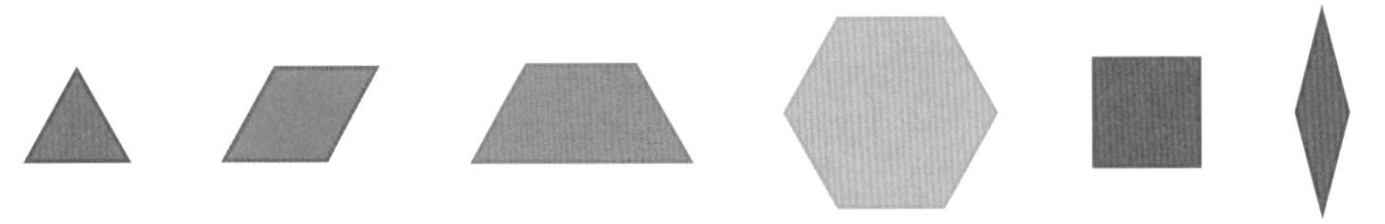

정삼각형 평행사변형 사다리꼴 정육각형 정사각형 마름모

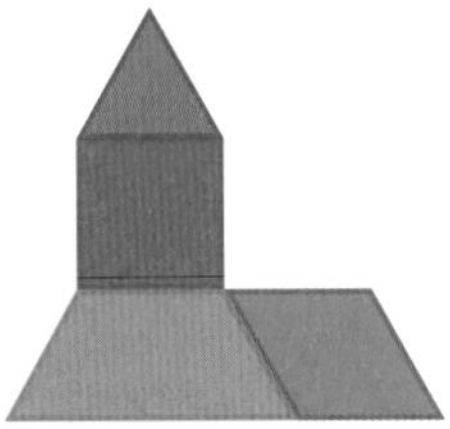

정삼각형, 정사각형, 사다리꼴, 평행사변형 모양 조각을 1개씩 사용해서 길이가 같은 변끼리 이어 붙여서 만든 모양입니다.

 2개로 평행사변형 만들기 → 

 2개로 육각형 만들기 → 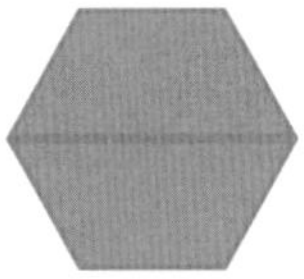

 로 오각형 만들기 → 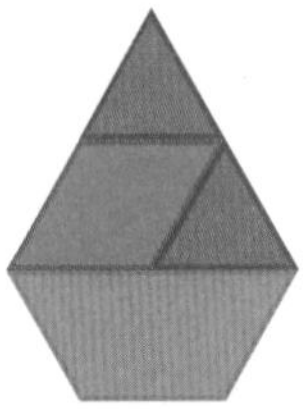

문제로 개념을 확인해요

쓰기

다음 모양을 만들려면 모양 조각이 몇 개 필요한지 쓰세요.

□ 개

□ 개

□ 개

□ 개

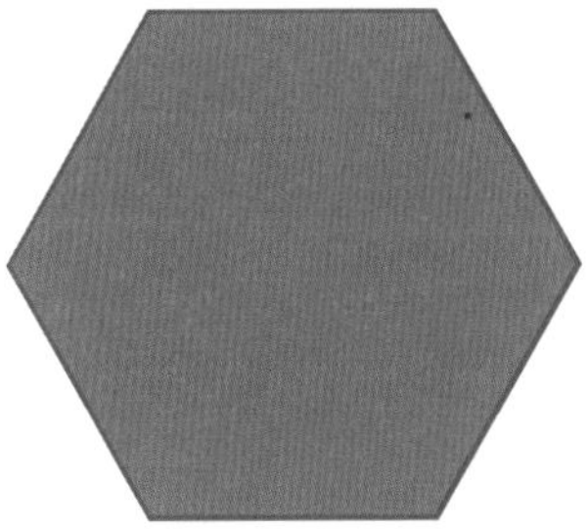

□ 개

□ 개

문제로 개념을 확인해요

쓰기

다음 모양을 만들려면 모양 조각이 몇 개 필요한지 쓰세요.

☐ 개

☐ 개

☐ 개

☐ 개

☐ 개

정답 92쪽

문 제 로 개 념 을 확 인 해 요

그리기

주어진 모양 조각을 사용하여 만든 다각형을 그리세요.

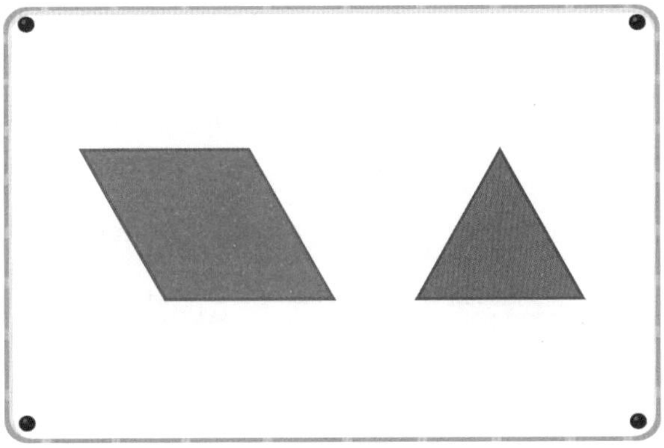

→ 사다리꼴

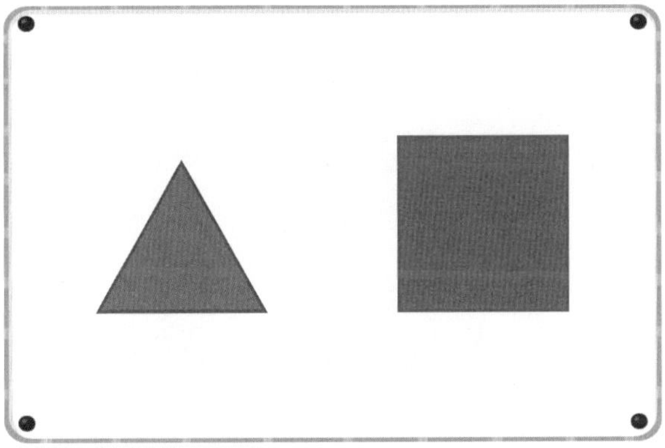

→ 오각형

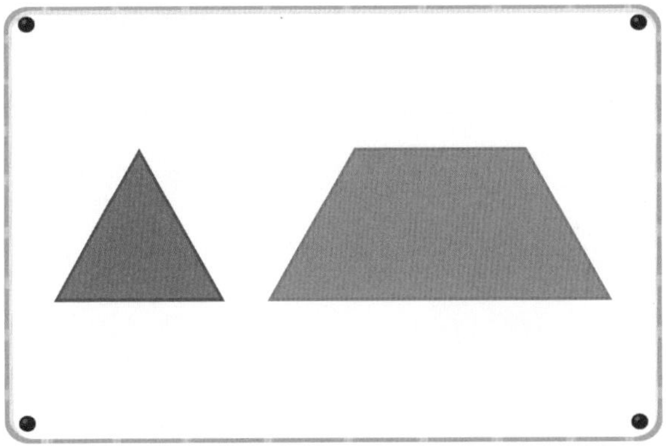

→ 평행사변형

정답 92쪽

교과서 개념을 배워요

04 모양 채우기

학습목표 ▶ • 다각형을 여러 가지 모양 조각으로 채울 수 있어요.

6개의 모양 조각을 사용해서 여러 가지 방법으로 모양을 채울 수 있어요.

한 가지 모양 조각으로 정육각형 채우기

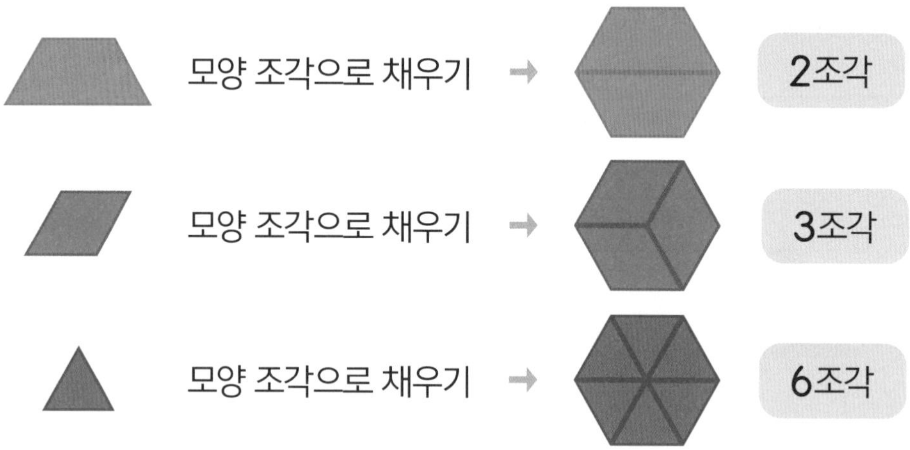

여러 가지 모양 조각으로 모양 채우기

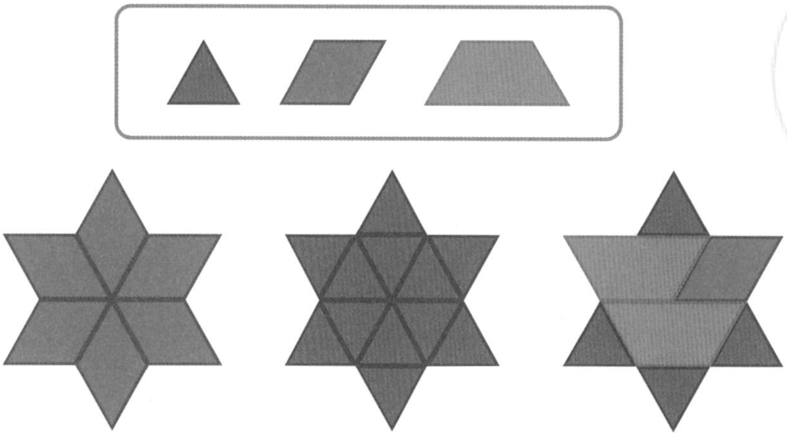

문제로 개념을 확인해요

색칠하기

보기 에서 2가지 모양 조각을 골라 한 번씩만 사용하여 모양을 만들었습니다. 사용한 다각형을 모두 찾아 색칠하세요.

보기

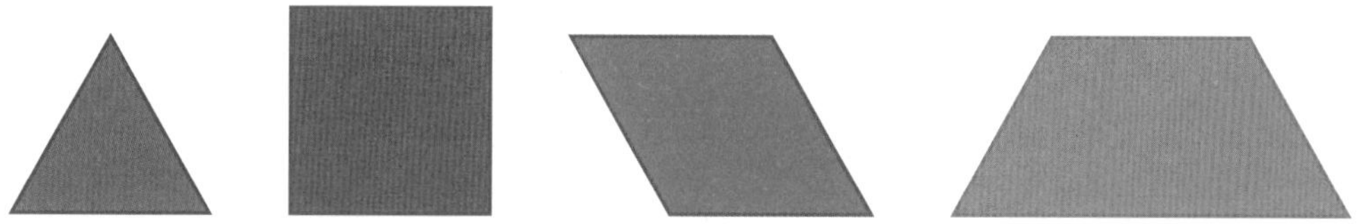

정삼각형 정사각형 평행사변형 사다리꼴

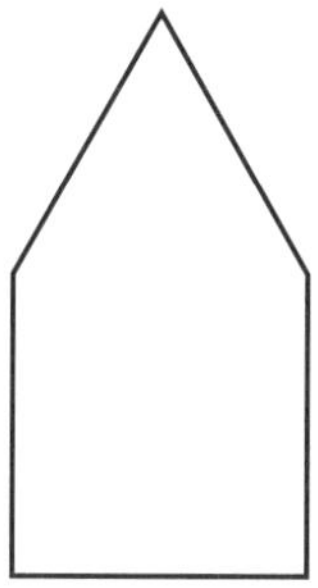

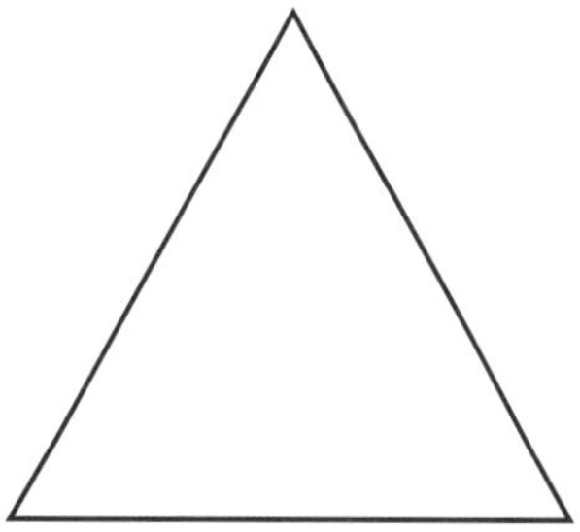

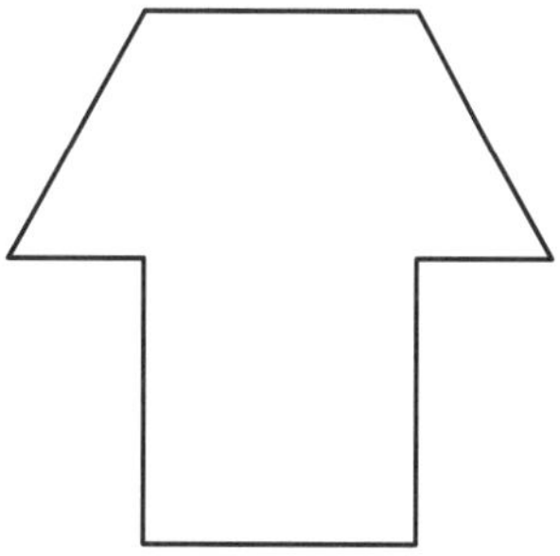

문제로 개념을 확인해요

색칠하기

다음 3가지 모양 조각을 사용하여 주어진 모양을 여러 가지 방법으로 채워 보세요.

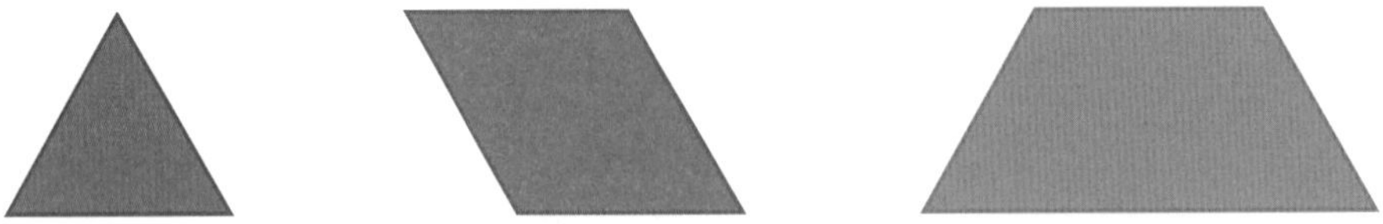

정삼각형 평행사변형 사다리꼴

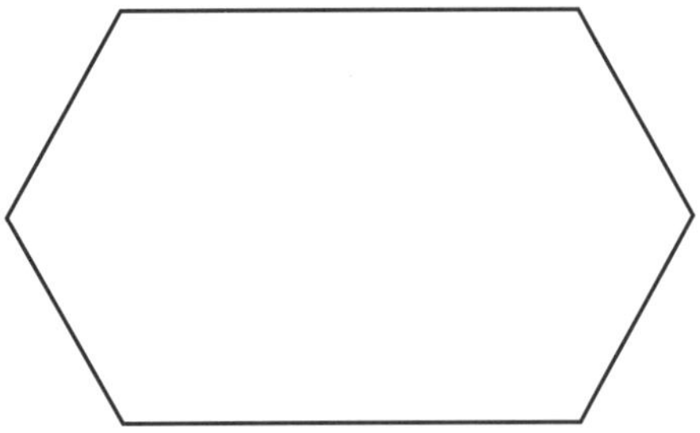

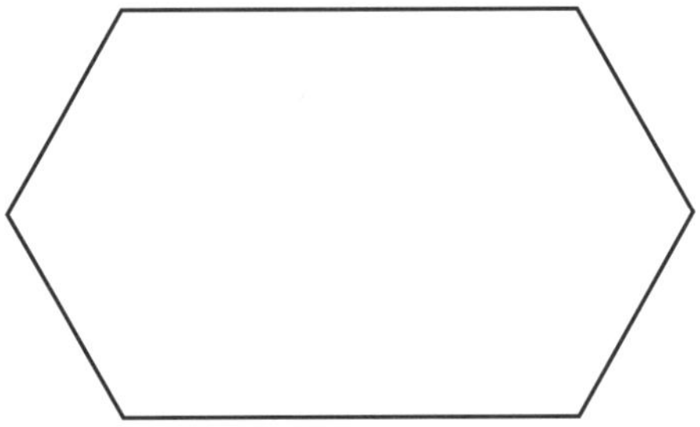

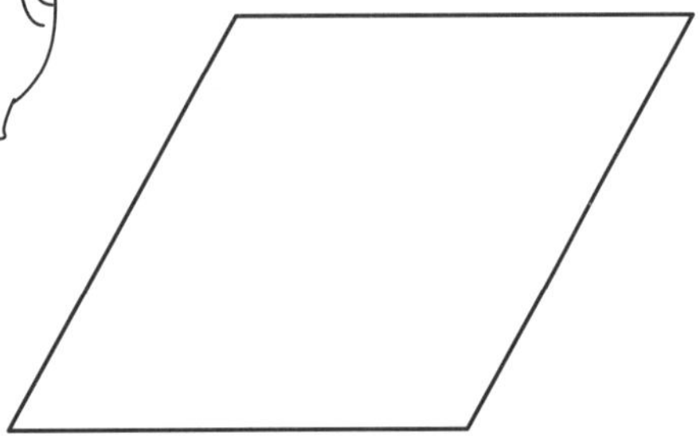

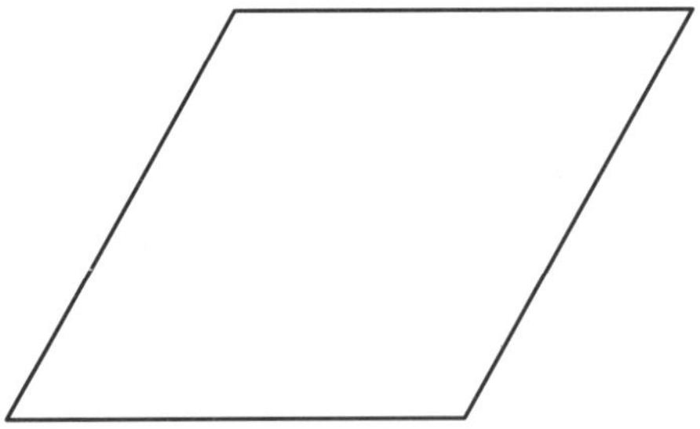

정답 93쪽

문제로 개념을 확인해요

색칠하기

다음 4가지 모양 조각을 사용하여 주어진 모양을
여러 가지 방법으로 채워 보세요.

정삼각형 정사각형 평행사변형 사다리꼴

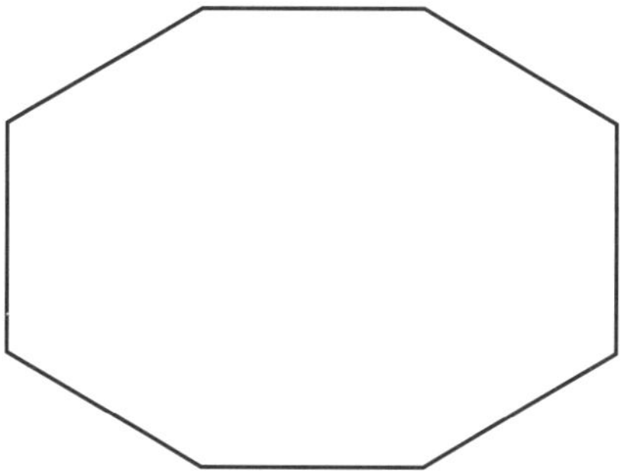

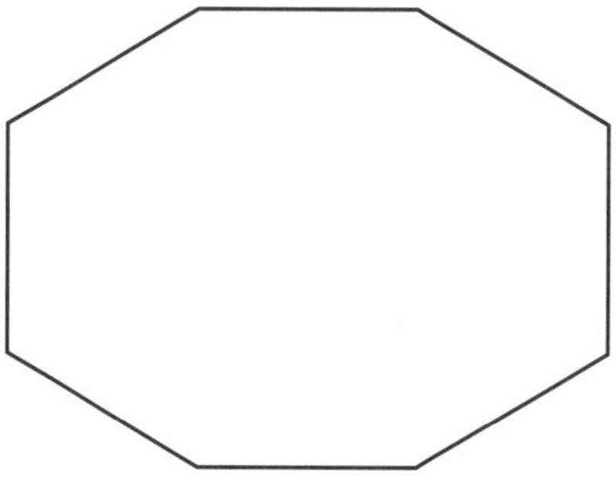

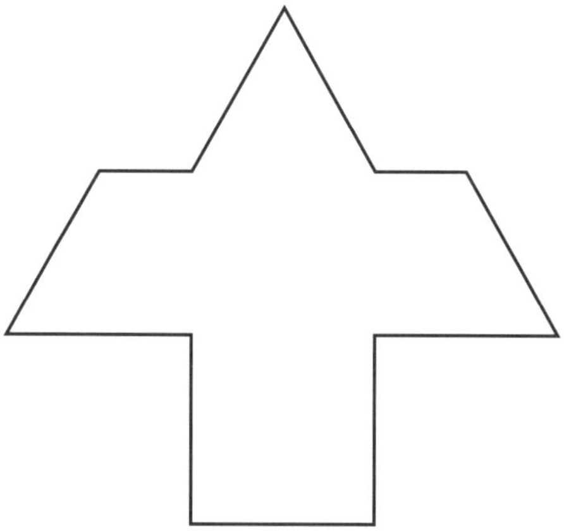

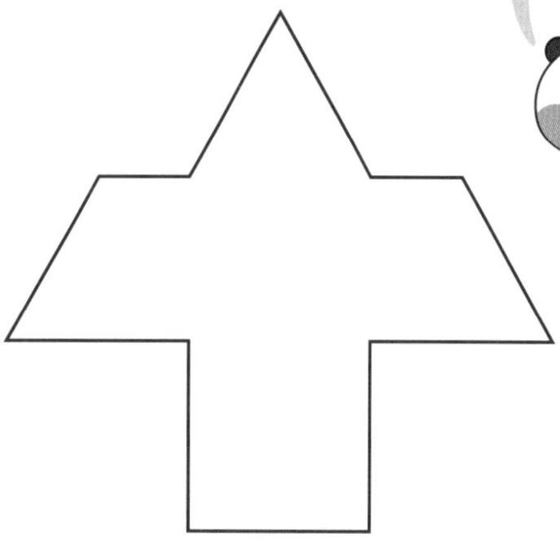

05 그림과 글로 배워요

1 한 변이 4 cm인 정다각형이 있습니다. 이 정다각형의 모든 변의 길이의 합이 20 cm일 때, 정다각형의 이름을 쓰세요.

정다각형의 한 변의 길이: □ cm

→ 정다각형의 변의 수를 ■라 하면 모든 변의 길이의 합: □ × ■

모든 변의 길이의 합이 20 cm이므로 □ × ■ = 20입니다.

→ 정다각형의 변의 수는 □ 입니다.

이 정다각형의 이름은 ________ 입니다.

정답 93쪽

2 사각형 ㄱㄴㄷㄹ은 정사각형입니다.
각 ㄱㄴㅇ의 크기는 몇 도인지 구하세요.

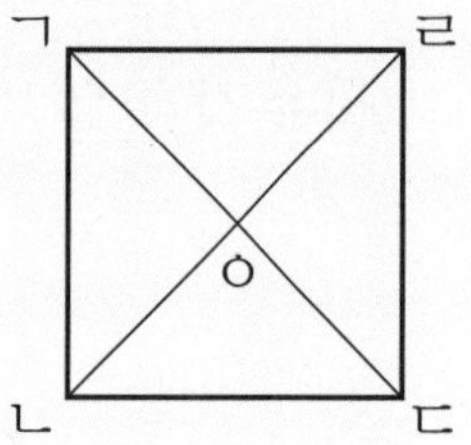

정사각형의 두 대각선이 만나서 이루는 각: □°

→ 각 ㄱㅇㄴ=□°

▼

정사각형의 두 대각선이 만나서 생기는 변 ㄱㅇ, 변 ㄴㅇ은 길이가 같습니다.

→ 삼각형 ㄱㄴㅇ은 □ 삼각형입니다.

▼

□ 삼각형에서 길이가 같은 두 변의 각의 크기도 같으므로

(각 ㄱㄴㅇ의 크기)=(각 ㄴㄱㅇ의 크기)=90÷2=□° 입니다.

▼

각 ㄱㄴㅇ의 크기는 ________° 입니다.

3

정육각형의 모든 각의 크기의 합을 구하세요.

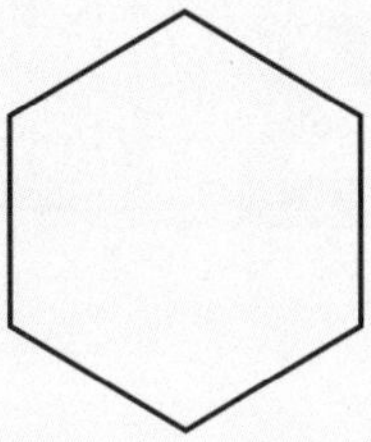

조건

① 정육각형은 정삼각형 □ 개로 나눌 수 있습니다.

② 정삼각형의 한 각의 크기는 □° 입니다.

③ 정육각형의 한 각은 정삼각형의 두 각의 크기와 같으므로 □° 입니다.

풀이

정육각형의 모든 각의 크기가 같고, 각이 모두 6개이므로

정육각형의 모든 각의 크기의 합은 □ × 6 = □° 입니다.

답 **정육각형의 모든 각의 크기의 합은 ______ °입니다.**

4

집 주변에 한 변이 3 m인 정팔각형 모양의 울타리를 치려고 합니다. 울타리는 모두 몇 m인지 구하세요.

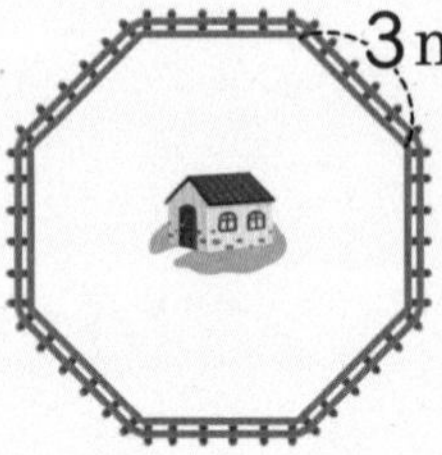

조건

① 정팔각형의 한 변의 길이: □ m

② 정팔각형의 변의 수: □ 개

풀이

정팔각형은 모든 변의 길이가 3 m로 같고, 변의 수가 □ 개이므로

정팔각형의 모든 변의 길이의 합은 □ × 8 = □ (m)입니다.

답 **울타리의 길이는 ______ m입니다.**

정답 93쪽

5

오른쪽 모양을 만드는 데 사용한 다각형을 모두 찾아 이름을 쓰세요.

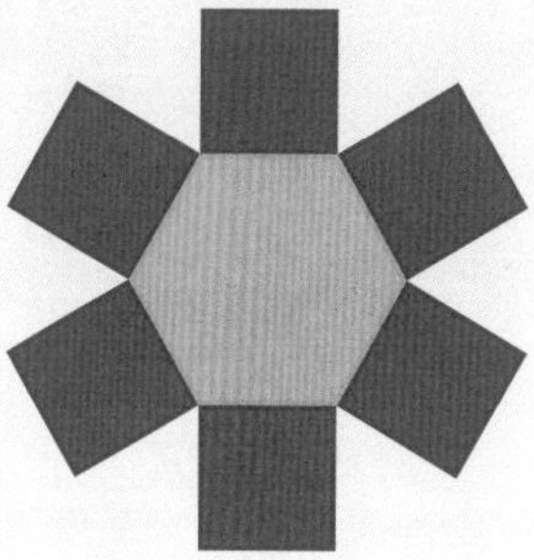

조건 ① 사용한 다각형의 종류: □ 가지

② 다각형의 이름은 □ 의 수에 따라 붙여 읽습니다.

풀이  → □  → □

답 **오른쪽 모양을 만드는 데 사용한 다각형은 ________ 입니다.**

6

 모양 조각만을 사용하여 오른쪽 모양을 채우려면 모양 조각은 모두 몇 개 필요한지 구하세요.

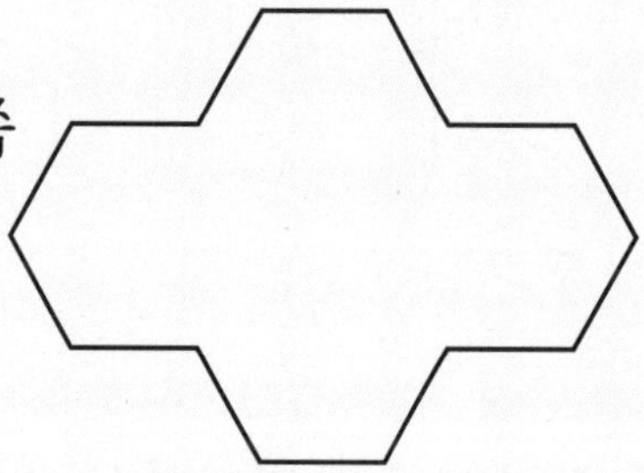

조건 ① 오른쪽 모양을 채울 때 필요한 모양 조각 수: 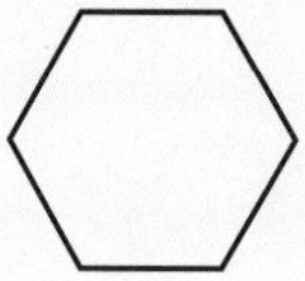 → □ 개

② 주어진 모양은 ①의 모양이 □ 개입니다.

풀이 오른쪽 모양은 정육각형 □ 개로 만들어진 모양이고, 정육각형은 평행사변형 □ 개로 채울 수 있으므로 필요한 평행사변형의 수는 □ 개입니다.

답 **오른쪽 모양을 채우기 위해 필요한 모양 조각은 모두 ________ 개입니다.**

06 마무리 평가

❶ 다각형을 모두 찾아 기호를 쓰세요.

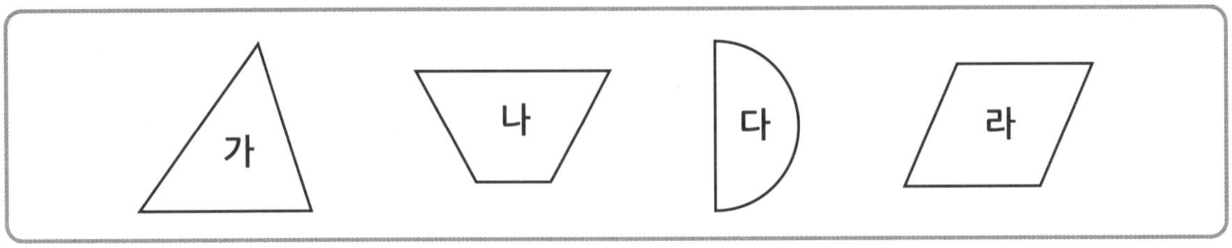

( )

❷ 정다각형을 모두 찾아 기호를 쓰세요.

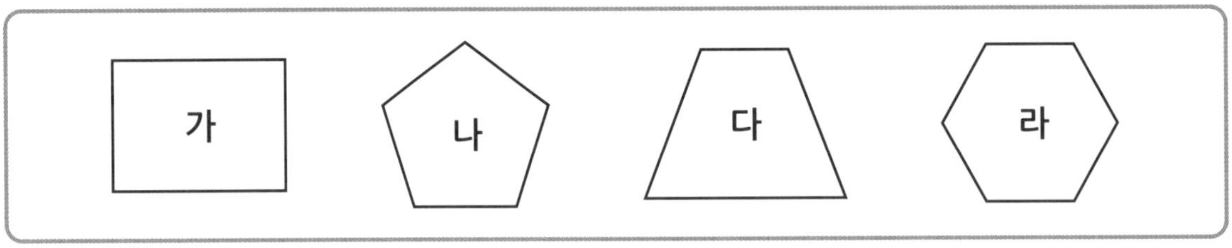

( )

☑ 다각형을 완성하세요.

❸ 사각형

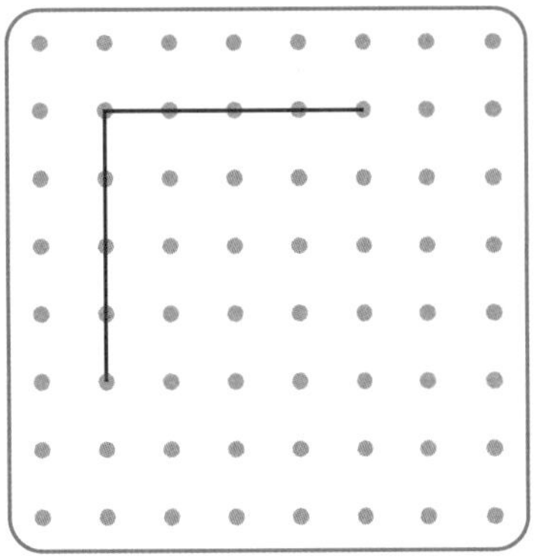

❹ 육각형

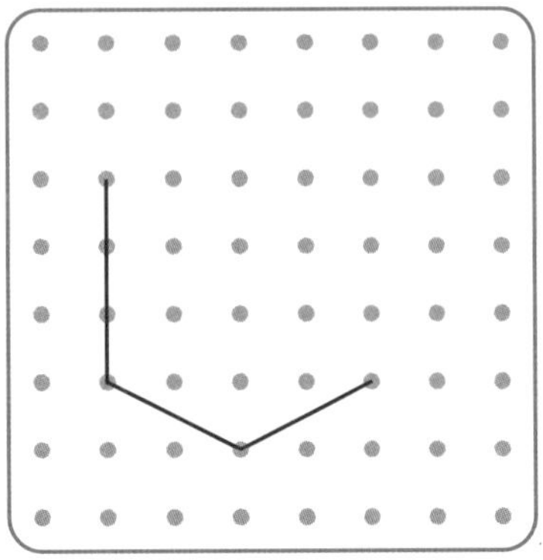

 정답 93쪽

표준 시간	맞힌 개수
20분	개

정다각형의 이름을 쓰고, 모든 변의 길이의 합을 구하세요.

5

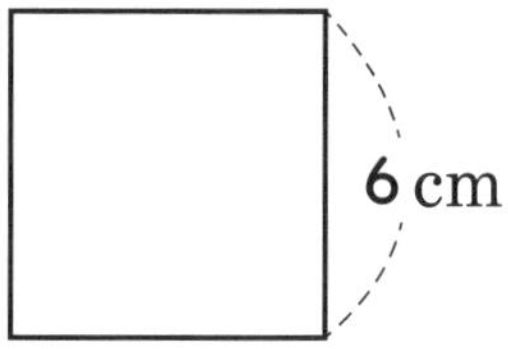

이름	
길이의 합	

6

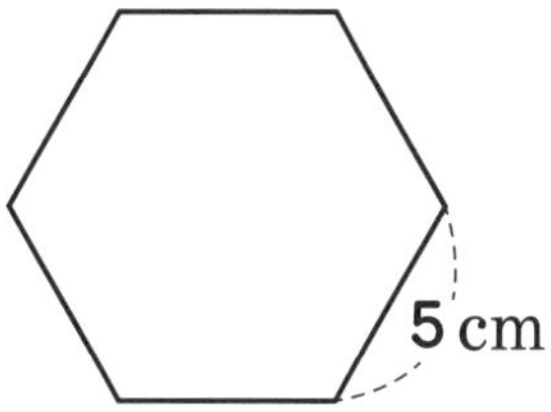

이름	
길이의 합	

7 두 대각선이 서로 수직으로 만나는 사각형을 찾아 기호를 쓰세요.

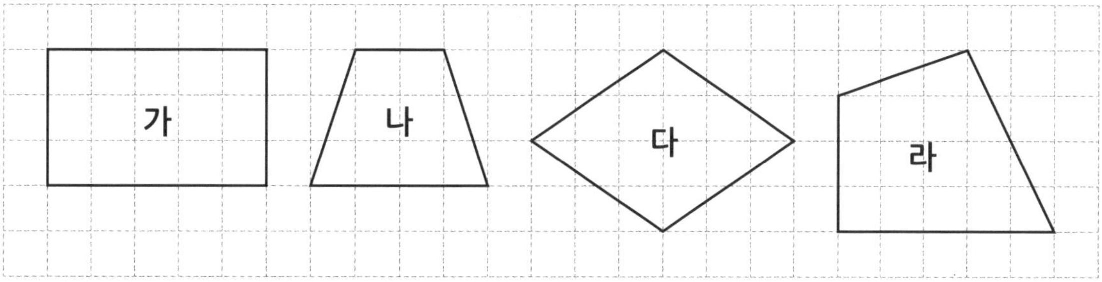

( )

8 한 대각선이 다른 대각선을 똑같이 둘로 나누는 사각형을 모두 찾아 기호를 쓰세요.

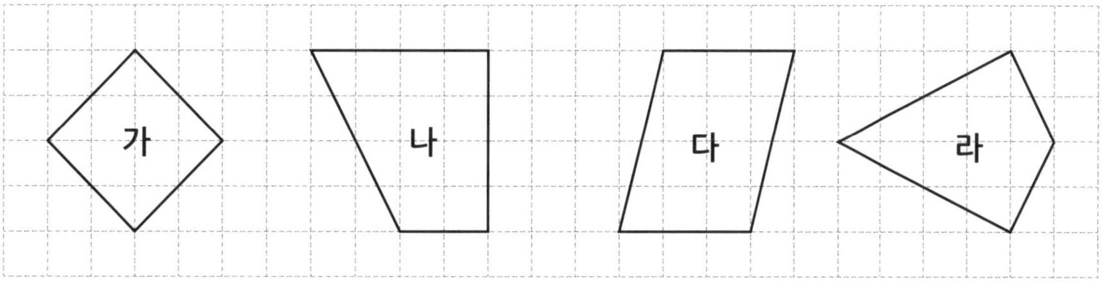

( )

정답 93쪽

한눈에 보는 개념 노트

1 다각형, 정다각형

- 선분으로만 둘러싸인 도형을 다각형이라고 합니다.
- 다각형은 변의 수에 따라 이름이 정해집니다.
- 다각형 중에서 변의 길이가 같고,
  각의 크기도 모두 같은 도형을 정다각형이라고 합니다.

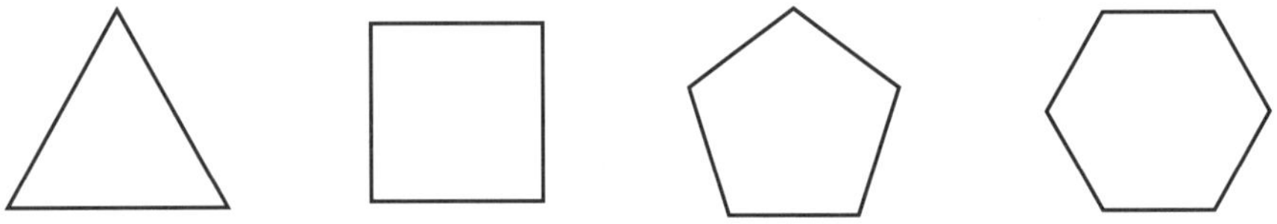

2 대각선

다각형에서 서로 이웃하지 않는 두 꼭짓점을 이은 선분을 대각선이라고 합니다.

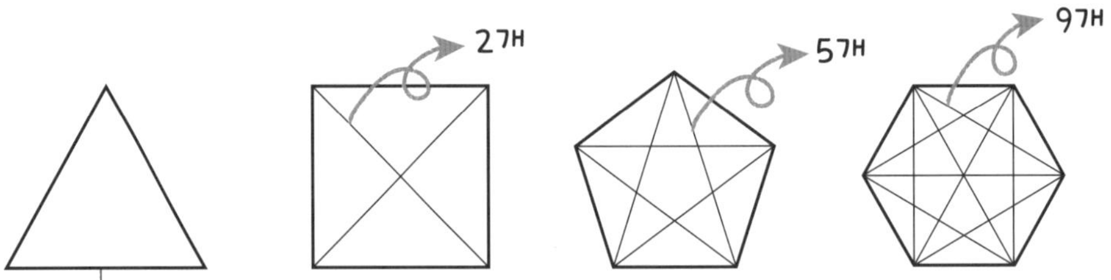

삼각형은 모든 꼭짓점이 이웃하고 있으므로
대각선을 그을 수 없습니다.

3 모양 만들기

6개의 모양 조각으로 여러 가지 모양을 만들 수 있습니다.

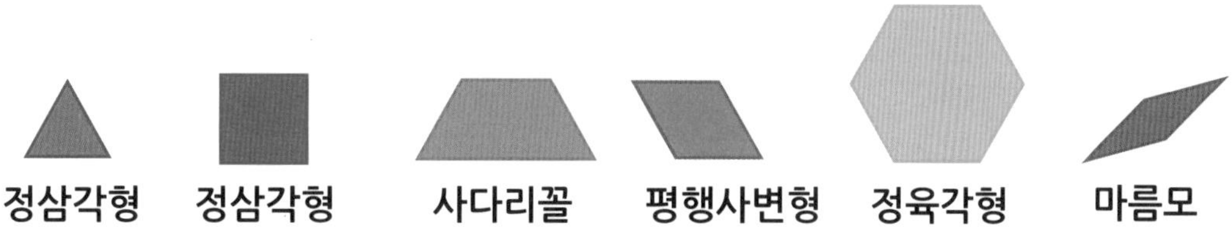

4 모양 채우기

모양 조각의 모양과 각 변의 길이가 같은 성질을 이용해서 여러 모양을 채울 수 있습니다. 채울 수 있는 방법은 여러 가지입니다.

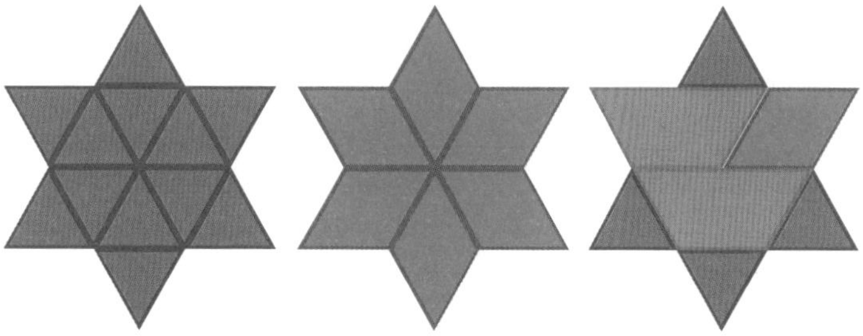

수학 퍼즐 맛보기

비교 변별

반짝반짝 작은 별

8개의 종이 조각 중에서 6개를 이용해서 별 모양을 만들어 보세요.

해답

별 모양에 필요한 조각은 1, 2, 4, 6, 7, 8번이고,
3번과 5번은 필요 없어요.

브레인알파 「패턴 퍼즐」 교재 내용입니다.

수학 퍼즐 맛보기

비교 도형

조각으로 만든 정사각형

5개의 조각을 회전시키지 않고 이어붙이면 정사각형이 돼요.
정사각형을 만드는 데 사용되지 않는 조각 2개를 찾아보세요.

해답

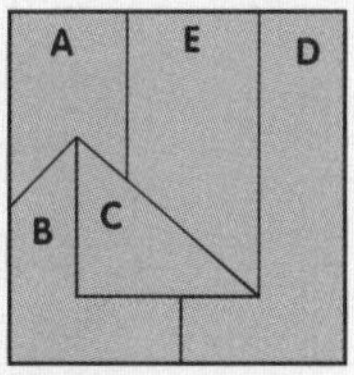

브레인알파 「패턴 퍼즐」 교재 내용입니다.

수학 퍼즐 맛보기

상식 변별

우주인을 구하자!

우주인이 배고픈 외계인들에게 쫓기고 있어서 로켓 안으로 서둘러 들어가려고 해요.
문을 열기 위해서는 우주복의 등에 있는 모양과 똑같은 모양을 찾아야 하는데 여러분이 도와주세요.

해답

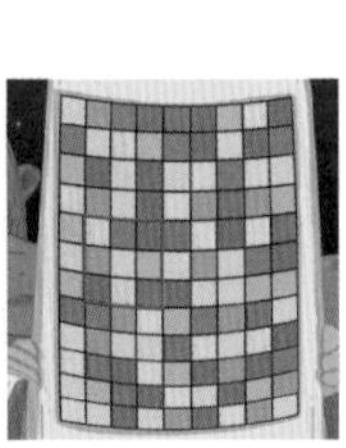

브레인알파 「암호 퍼즐」 교재 내용입니다.

정답

09쪽

문제로 개념을 확인해요

쓰기 자를 이용하여 이등변삼각형을 모두 찾아 기호를 쓰세요.

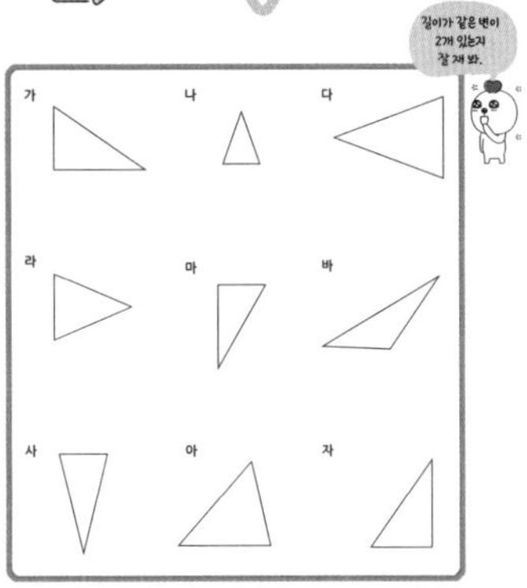

(나, 다, 라, 사)

정답 88쪽 9

10쪽

문제로 개념을 확인해요

색칠하기 자를 이용하여 정삼각형을 모두 찾아 색칠하세요.

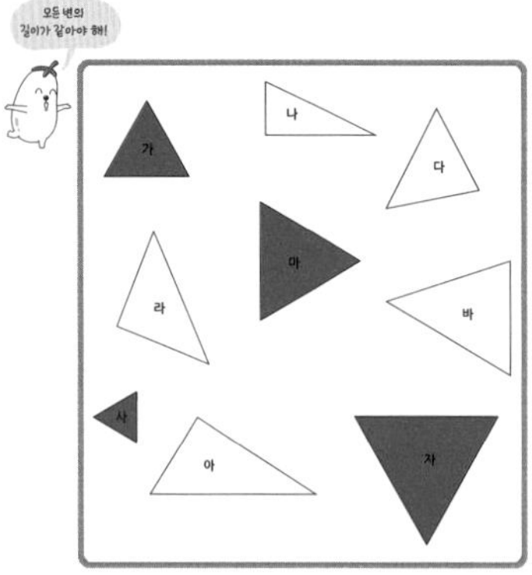

10 정답 88쪽

11쪽

문제로 개념을 확인해요

쓰기 □ 안에 알맞은 수를 써넣으세요.

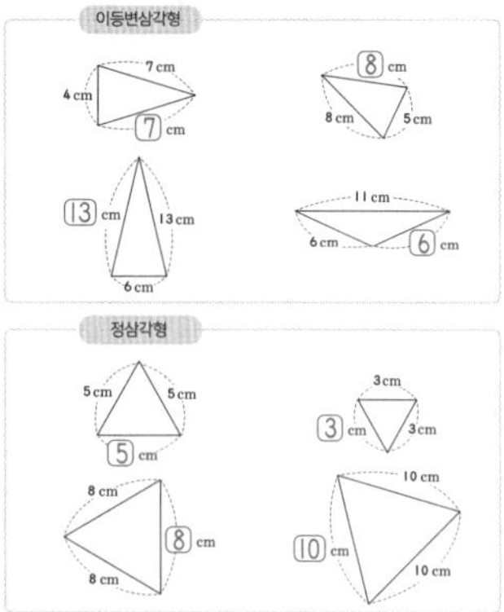

정답 88쪽 11

13쪽

문제로 개념을 확인해요

그리기 주어진 선분을 한 변으로 하는 이등변삼각형을 그리세요.

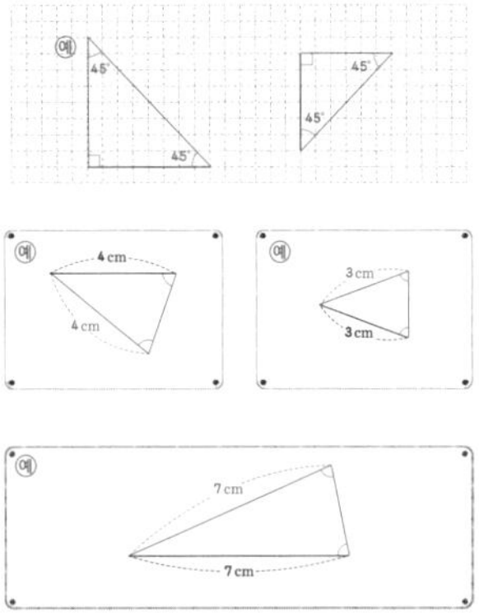

정답 88쪽 13

14쪽

문제로 개념을 확인해요

그리기 주어진 선분과 각도기를 사용하여 이등변삼각형을 그려 보세요.

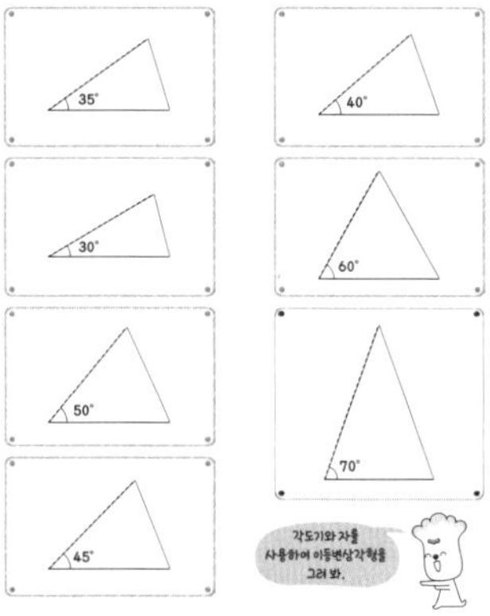

14 정답 88쪽

15쪽

문제로 개념을 확인해요

쓰기 다음 도형은 이등변삼각형입니다. □ 안에 알맞은 수를 써넣으세요.

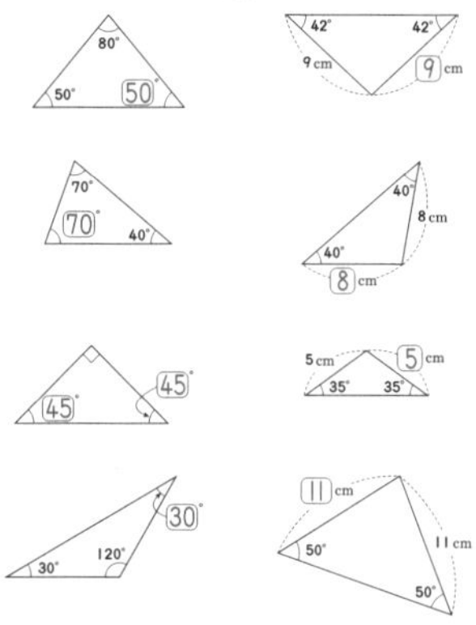

정답 88쪽 15

17쪽

문제로 개념을 확인해요

그리기 주어진 선분을 한 변으로 하는 정삼각형을 그리세요.

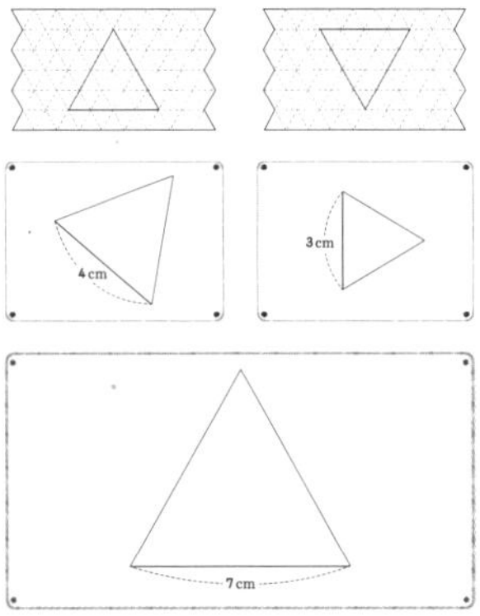

정답 88쪽 17

18쪽

문제로 개념을 확인해요

그리기 주어진 선분과 각도기를 사용하여 정삼각형을 그려 보세요.

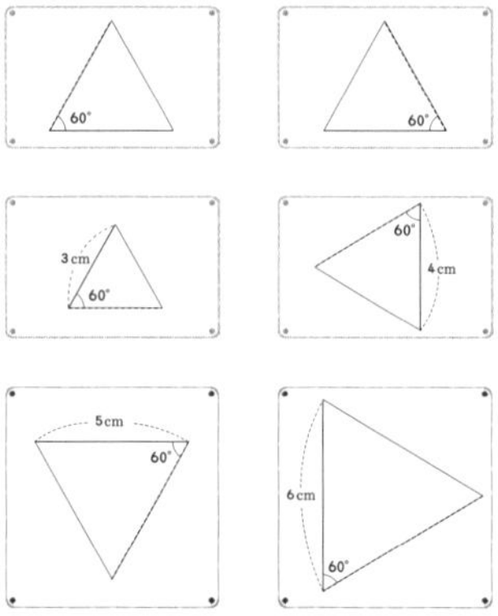

18 정답 88쪽

19쪽

문제로 개념을 확인해요

쓰기 다음 도형은 정삼각형입니다. □ 안에 알맞은 수를 써넣으세요.

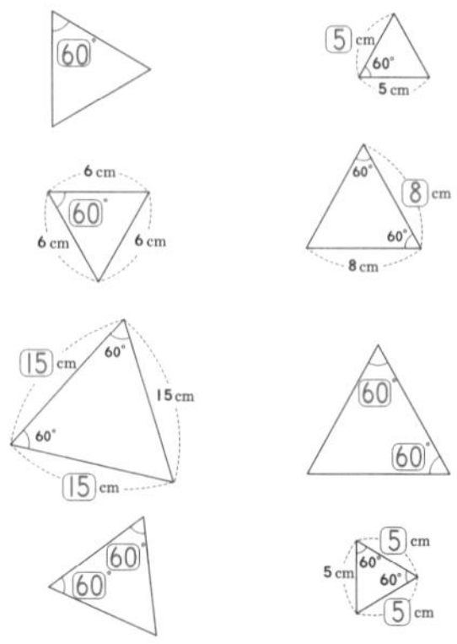

정답 88쪽 19

21쪽

문제로 개념을 확인해요

쓰기

예각삼각형을 모두 찾아 기호를 쓰세요.

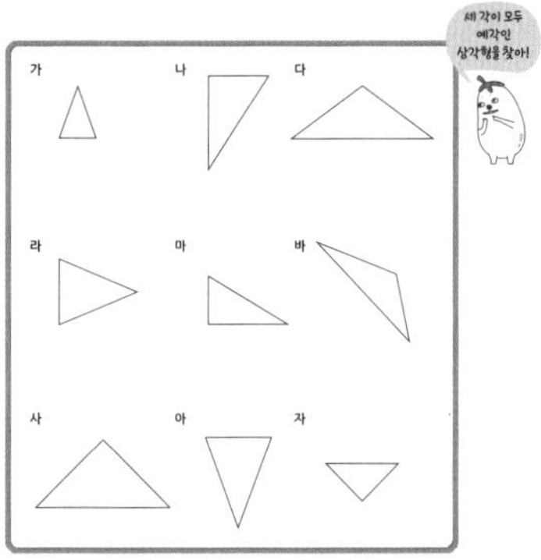

(가, 라, 아)

21

22쪽

문제로 개념을 확인해요

색칠하기

둔각삼각형을 모두 찾아 색칠하세요.

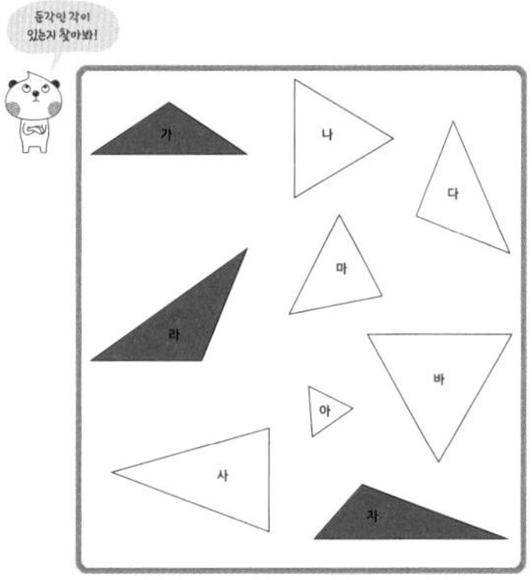

22

23쪽

문제로 개념을 확인해요

그리기

크기와 모양이 다른 삼각형을 각각 3개씩 그려 보세요.

예각삼각형

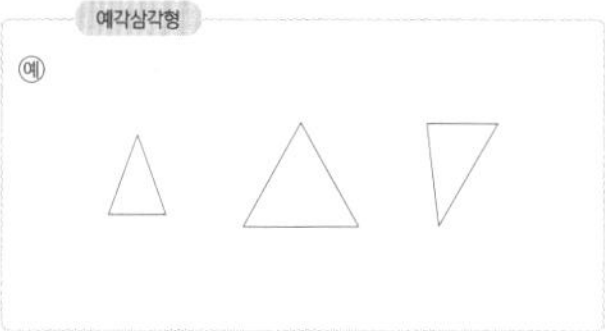

둔각삼각형

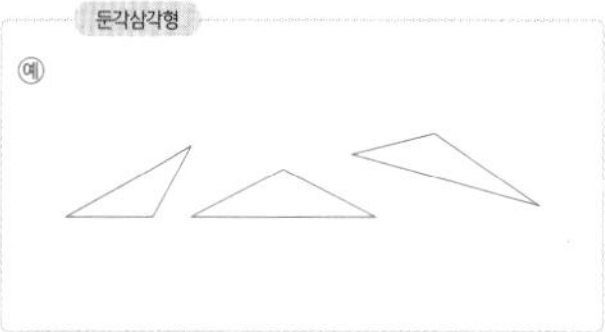

23

25쪽

문제로 개념을 확인해요

선 잇기

삼각형을 보고 알맞은 것을 찾아 선으로 이어 보세요.

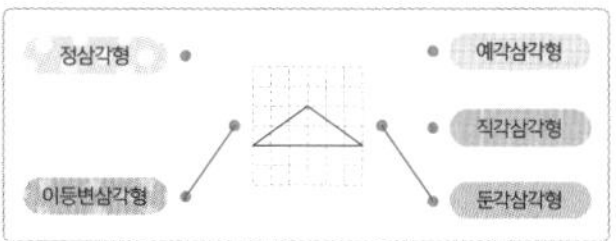

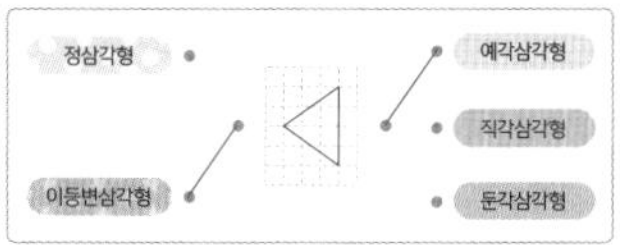

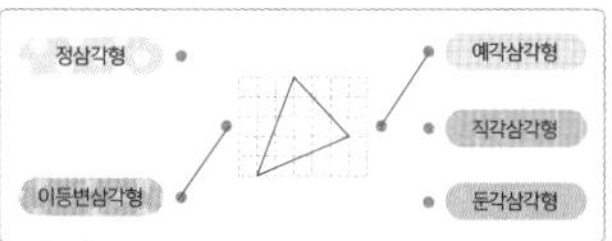

25

26쪽

문제로 개념을 확인해요

쓰기

삼각형을 분류하여 기호를 쓰세요.

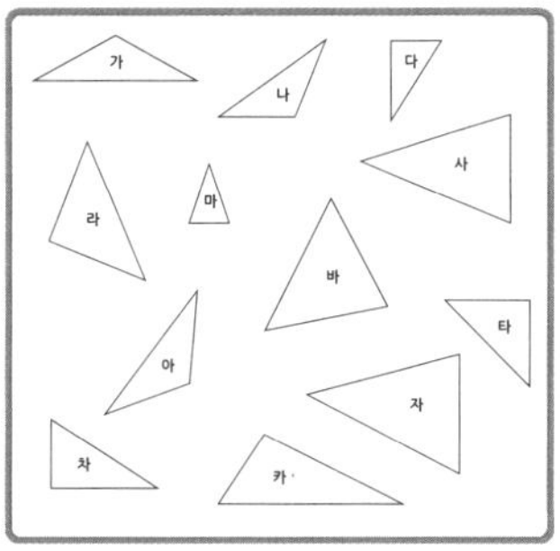

	예각삼각형	직각삼각형	둔각삼각형
이등변삼각형	마, 사	라, 타	가, 아
세 변의 길이가 모두 다른 삼각형	바, 자	다, 차	나, 카

26

27쪽

문제로 개념을 확인해요

색칠하기

삼각형의 일부가 지워졌습니다. 이 삼각형은 어떤 삼각형인지 알맞은 이름에 모두 색칠하세요.

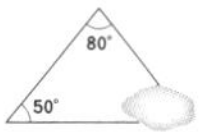

이등변삼각형 / 정삼각형
예각삼각형 / 직각삼각형 / 둔각삼각형

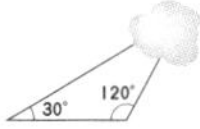

이등변삼각형 / 정삼각형
예각삼각형 / 직각삼각형 / **둔각삼각형**

이등변삼각형 / 정삼각형
예각삼각형 / **직각삼각형** / 둔각삼각형

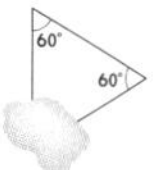

이등변삼각형 / **정삼각형**
예각삼각형 / 직각삼각형 / 둔각삼각형

27

29쪽

문제로 개념을 확인해요

표시하기

두 직선이 만나서 이루는 각이 직각인 곳을 모두 찾아 보기 와 같이 표시하세요.

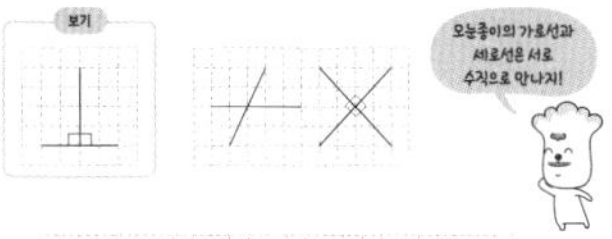

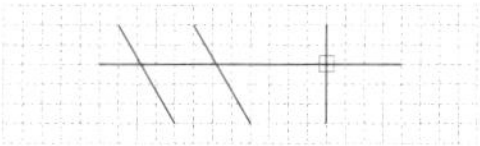

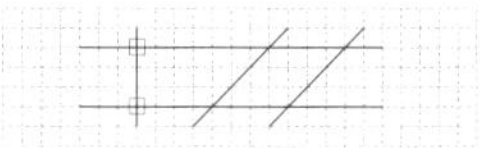

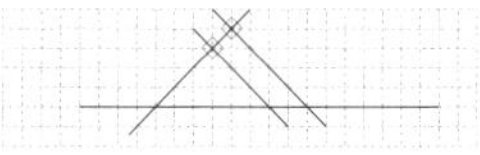

29

30쪽

문제로 개념을 확인해요

쓰기

서로 수직인 변이 있는 도형을 모두 찾아 기호를 쓰세요.

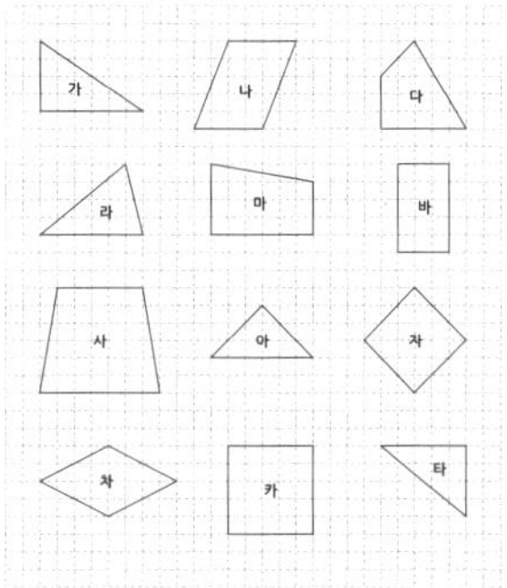

(가, 다, 마, 바, 아, 자, 카, 타)

30

31쪽

문제로 개념을 확인해요

그리기

각도기와 삼각자를 사용하여 주어진 직선에 대한 수선을 그어 보세요.

각도기 사용

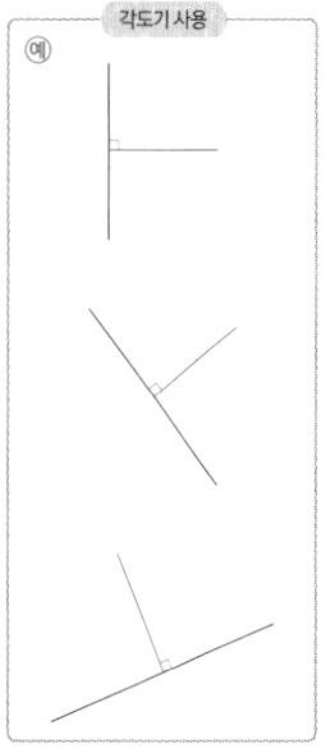

삼각자 사용

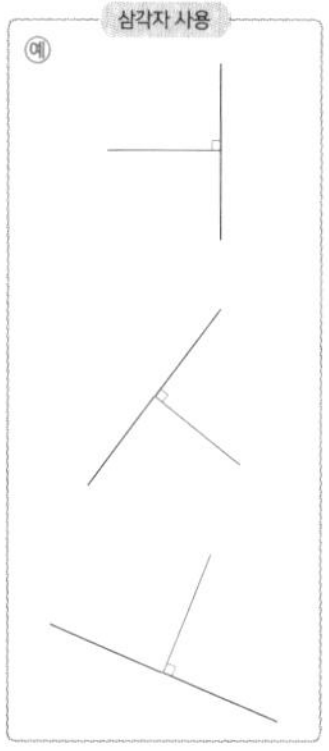

31

33쪽

문제로 개념을 확인해요

표시하기

도형에서 서로 평행한 변을 찾아 같은 모양으로 표시하세요.

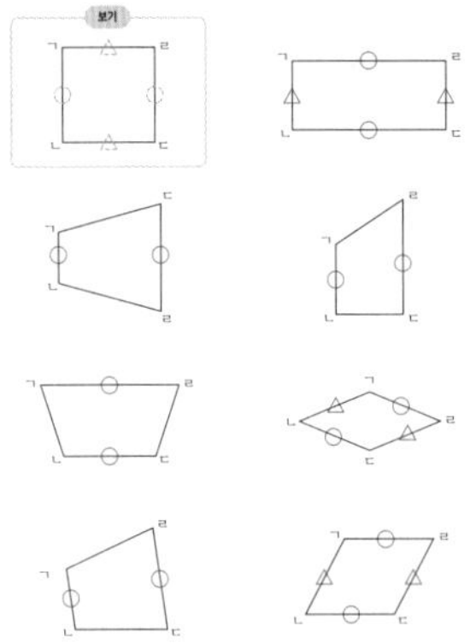

34쪽

문제로 개념을 확인해요

그리기

삼각자를 사용하여 점 ㄱ을 지나고 주어진 직선과 평행한 직선을 그어 보세요.

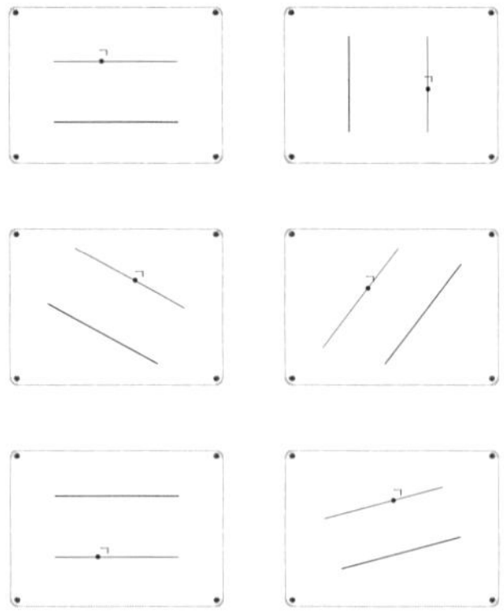

35쪽

문제로 개념을 확인해요

그리기

평행선이 있는 사각형을 그려 보세요.

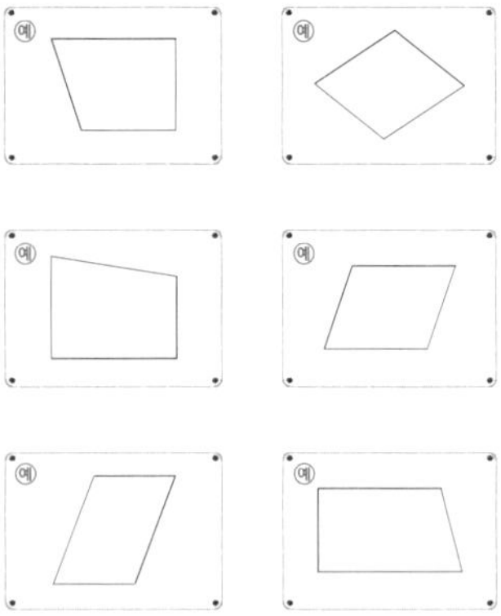

37쪽

문제로 개념을 확인해요

쓰기

평행선 사이의 거리를 재어 보세요.

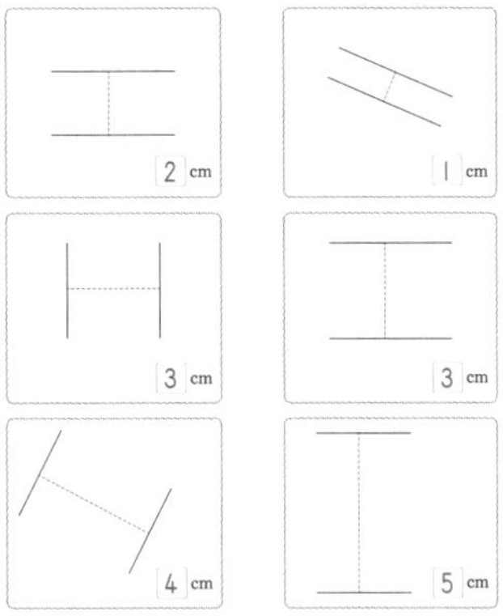

38쪽

문제로 개념을 확인해요

그리기

평행선 사이의 거리가 3 cm가 되도록 주어진 직선과 평행한 직선을 그어 보세요.

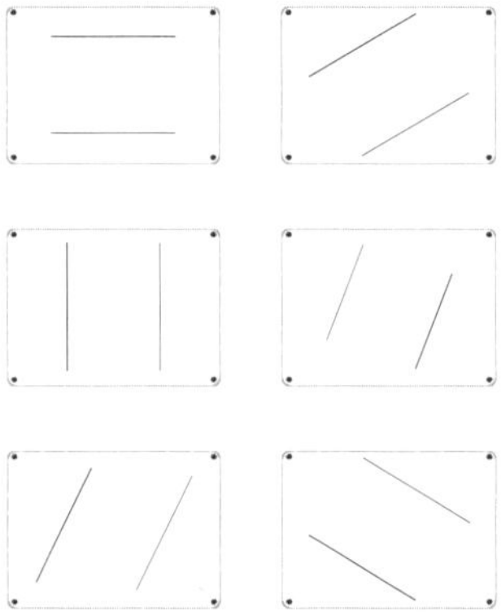

39쪽

문제로 개념을 확인해요

쓰기

도형에서 평행선을 찾아 평행선 사이의 거리를 재어 보세요.

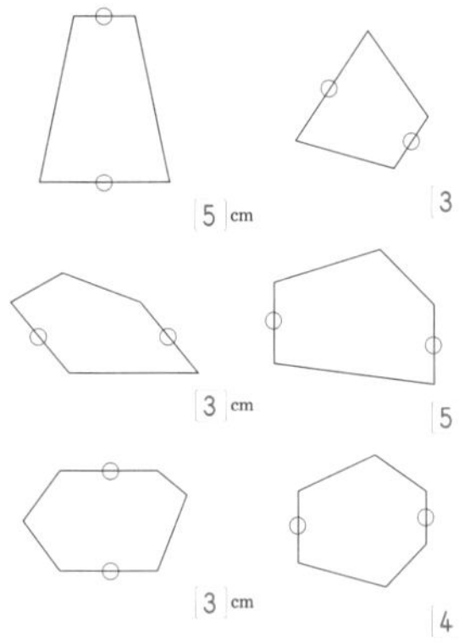

41쪽

문제로 개념을 확인해요

색칠하기

도형을 보고 이름이 될 수 있는 것에 모두 색칠하세요.

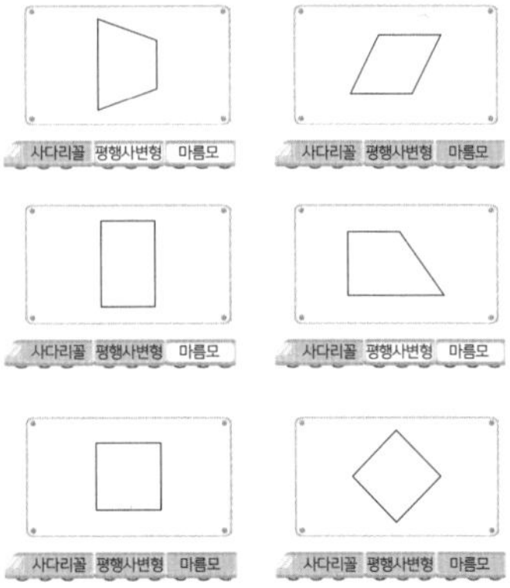

42쪽

문제로 개념을 확인해요

그리기

주어진 선분을 한 변으로 하는 도형을 완성하세요.

사다리꼴

평행사변형

마름모

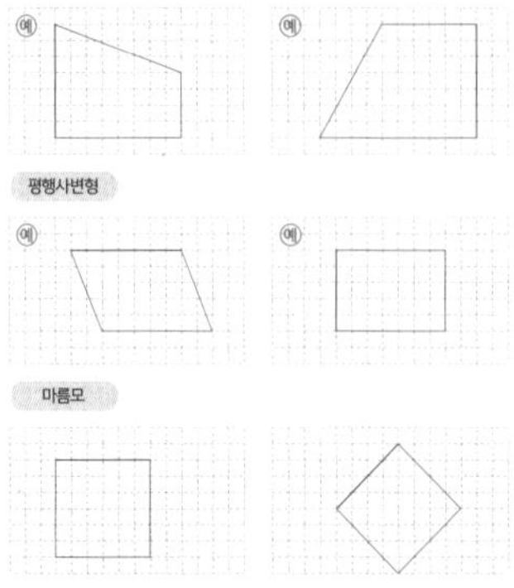

43쪽

문제로 개념을 확인해요

쓰기

꼭짓점을 한 개만 옮겨서 이름에 맞는 도형을 만들려고 합니다. 꼭짓점이 될 수 있는 점의 위치를 찾아 기호를 쓰세요.

사다리꼴

평행사변형

마름모

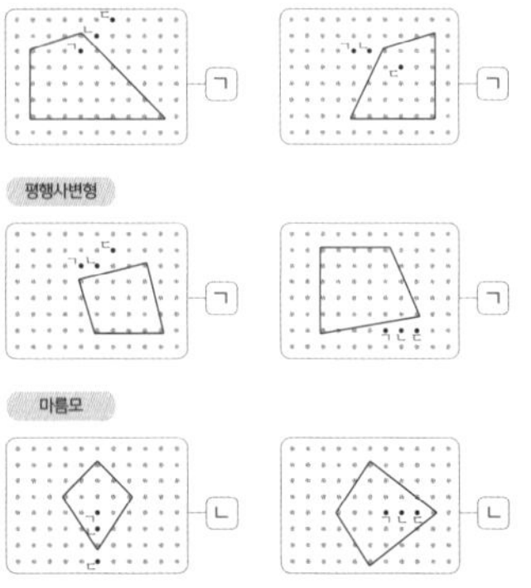

45쪽

문제로 개념을 확인해요

색칠하기

도형을 보고 이름이 될 수 있는 것에 모두 색칠하세요.

직사각형 | 정사각형
직사각형 | 정사각형
직사각형 | 정사각형
직사각형 | 정사각형
직사각형 | 정사각형
직사각형 | 정사각형

46쪽

문제로 개념을 확인해요

쓰기

직사각형과 정사각형을 모두 찾아 직사각형에는 '직', 정사각형에는 '정'이라고 쓰세요.

정사각형은 직사각형이라고도 할 수 있지만 정사각형으로 표시해!

정, 정, 직, 정, 직, 정, 정

47쪽

문제로 개념을 확인해요

선 잇기

그림을 보고 각 이름에 맞는 도형을 찾아 선으로 이으세요.

가, 나, 다, 라, 마 — 사다리꼴, 평행사변형, 마름모, 직사각형, 정사각형

정사각형을 모두 사각형의 이름을 가질 수 있어!

가, 나, 다, 라, 마 — 사다리꼴, 평행사변형, 마름모, 직사각형, 정사각형

48쪽

11 그림과 글로 배워요

1 이등변삼각형과 정삼각형의 세 변의 길이의 합이 같습니다. 정삼각형의 한 변의 길이를 구하세요.

5 cm, 8 cm, □cm

이등변삼각형의 세 변의 길이: 5 cm, 5 cm, 8 cm

(이등변삼각형의 세 변의 길이의 합) = 18 cm

정삼각형의 한 변의 길이를 ■cm라 할 때

정삼각형의 세 변의 길이의 합: ■ × 3 = 18

정삼각형의 한 변의 길이는 6 cm입니다.

49쪽

2 정사각형과 마름모를 겹치지 않게 이어 붙여 만든 도형입니다. 이 도형의 둘레는 몇 cm인지 구하세요.

4 cm

마름모는 네 변의 길이가 (같습니다, 다릅니다).

마름모의 한 변의 길이: 4 cm

정사각형은 네 변의 길이가 (같습니다, 다릅니다).

정사각형의 한 변의 길이: 4 cm

이 도형의 둘레는 마름모의 한 변이 3 개,

정사각형의 한 변이 3 개입니다.

이 도형의 둘레는 24 cm입니다.

50쪽

3 삼각형의 일부가 지워졌습니다. 이 삼각형은 예각삼각형과 둔각삼각형 중 어떤 삼각형인지 쓰세요.

45°, 40°

조건 ① 삼각형의 세 각의 합: 180°

② 주어진 두 각의 크기: 40°, 45°

풀이 (지워진 한 각의 크기) = 180° − 40° − 45° = 95°

삼각형의 세 각은 각각 예각, 예각, 둔각입니다.

답 삼각형은 둔각 삼각형입니다.

4 색종이로 그림과 같이 삼각형을 만들었을 때 만든 삼각형이 어떤 삼각형인지 두 가지로 쓰세요.

조건 ① 세 변의 길이가 (같습니다, 다릅니다).

② 세 각의 크기가 모두 90°보다 (작습니다, 큽니다).

풀이 한 변의 길이와 같아지도록 나머지 두 변의 길이를 정했으므로 세 변의 길이가 같은 정 삼각형입니다. 세 각의 크기가 모두 예각이므로 예각 삼각형입니다.

답 삼각형은 정 삼각형, 예각 삼각형입니다.

51쪽

5 다음 도형은 평행사변형입니다. ㉠과 ㉡의 각도의 합은 몇 도인지 구하세요.

130°, ㉠, ㉡

조건 ① 평행사변형은 마주 보는 각의 크기가 (같습니다, 다릅니다).

② 평행사변형은 이웃하는 두 각의 크기의 합이 (180°, 360°)입니다.

풀이 ㉠ + 130° = 180°, ㉠ = 50°

㉡ = ㉠ = 50°

답 ㉠과 ㉡의 각도의 합은 100 °입니다.

6 성호가 도서관에서 본 안내판은 오른쪽 그림과 같은 마름모 모양이었습니다. 이 안내판의 네 변의 길이의 합과 둘레가 같은 정삼각형 모양의 안내판을 만든다면 한 변의 길이는 몇 cm로 해야 하는지 구하세요.

9 cm

조건 ① 마름모는 네 변의 길이가 (같습니다, 다릅니다).

② 마름모의 네 변의 길이의 합: 36 cm

③ 정삼각형은 세 변의 길이가 (같습니다, 다릅니다).

풀이 (마름모의 네 변의 길이의 합) = 36 cm

정삼각형의 한 변의 길이를 ■cm라 하면, 36 = ■ + ■ + ■ → ■ = 12

답 정삼각형의 한 변의 길이는 12 cm입니다.

52쪽

12 마무리 평가

이등변삼각형에는 '이', 정삼각형에는 '정'을 쓰세요.

❶ 정 (이) ❷ 이 ❸ 이

예각삼각형에는 '예', 직각삼각형에는 '직', 둔각삼각형에는 '둔'을 쓰세요.

❹ 예 ❺ 둔 ❻ 직

이등변삼각형입니다. □ 안에 알맞은 수를 써넣으세요.

❼ 45°, 45° ❽ 70°, 70°, 40° ❾ 42°, 42°, 9 cm, 9 cm

정삼각형입니다. □ 안에 알맞은 수를 써넣으세요.

❿ 60°, 60° ⓫ 60°, 60°, 8 cm, 8 cm ⓬ 60

53쪽

푼 시간 20 분 / 맞힌 개수 개

서로 수직인 변에 ○표 하세요.

⓭ ⓮ ⓯

평행선 사이의 거리가 몇 cm인지 재어 보세요.

⓰ 3 cm ⓱ 2 cm

그림을 보고 각 이름에 맞는 도형을 찾아 선을 이으세요.

⓲ 가, 나, 다, 라, 마 — 사다리꼴, 평행사변형, 마름모, 직사각형, 정사각형

61쪽

문제로 개념을 확인해요

쓰기 도형을 보고 물음에 답하세요.

❶ 다각형을 모두 찾아 기호를 쓰세요.

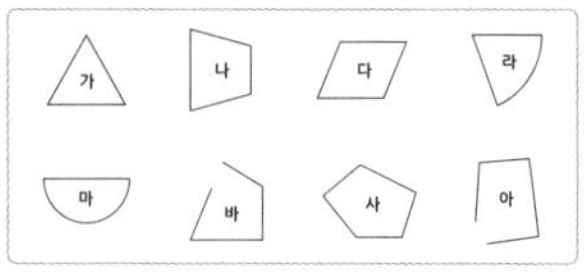

(가, 나, 다, 사)

❷ 정다각형을 모두 찾아 기호를 쓰세요.

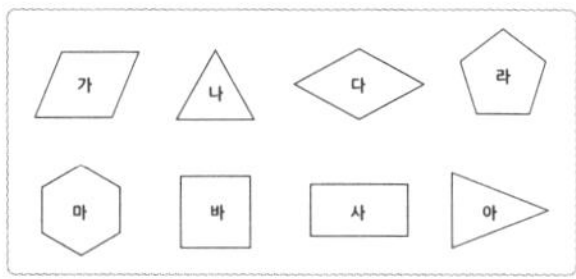

(나, 라, 마, 바)

정답 92쪽 61

62쪽

문제로 개념을 확인해요

선 잇기 관계 있는 것끼리 선으로 이어 보세요.

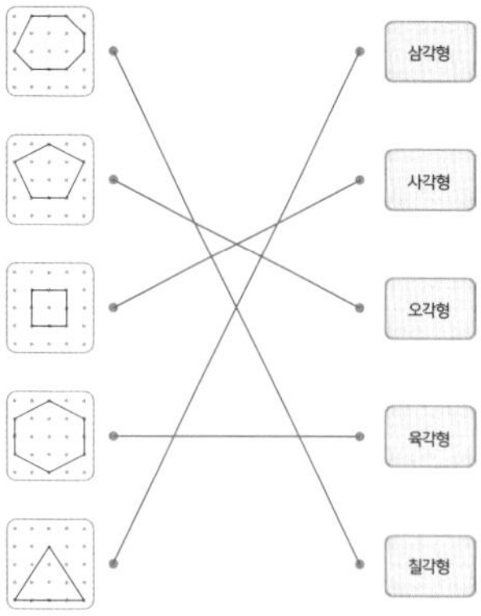

62 정답 92쪽

63쪽

문제로 개념을 확인해요

그리기 점 종이에 그려진 선분을 이용하여 다각형을 완성해 보세요.

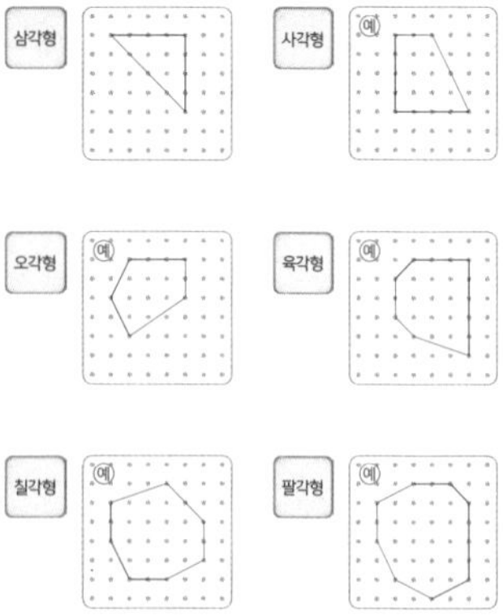

정답 92쪽 63

65쪽

문제로 개념을 확인해요

그리기 각 도형에 대각선을 모두 그어 보세요.

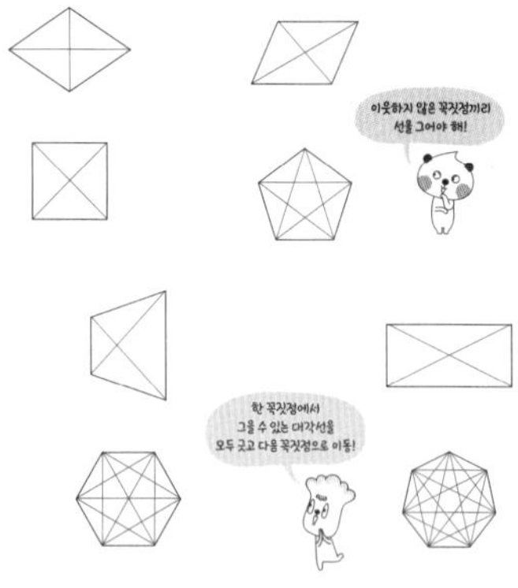

정답 92쪽 65

66쪽

문제로 개념을 확인해요

쓰기 각 도형에서 그을 수 있는 대각선의 수를 쓰세요.

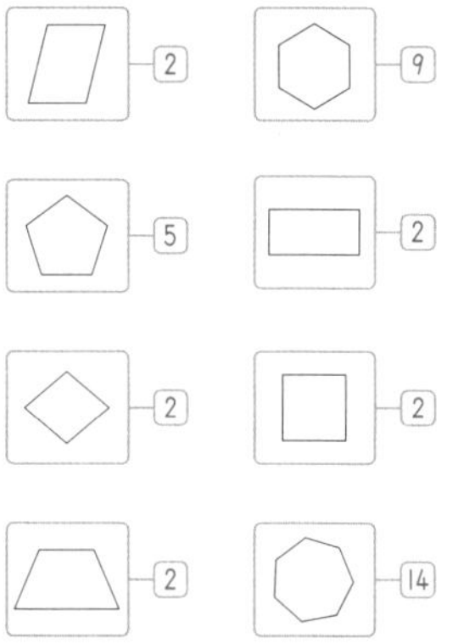

66 정답 92쪽

67쪽

문제로 개념을 확인해요

표시하기 도형을 보고 물음에 답하세요.

❶ 두 대각선의 길이가 서로 같은 도형에 ○표 하세요.

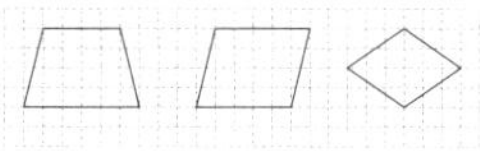

(○) ( ) ( )

❷ 두 대각선이 서로 수직으로 만나는 도형에 모두 ○표 하세요.

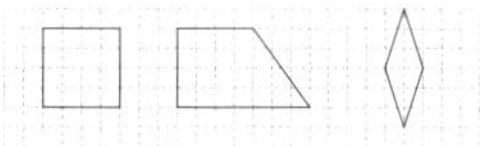

(○) ( ) (○)

❸ 한 대각선이 다른 대각선을 둘로 똑같이 나누는 도형에 ○표 하세요.

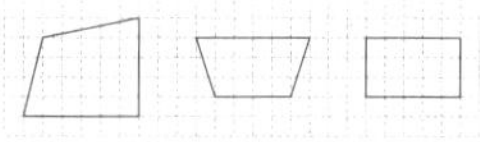

( ) ( ) (○)

정답 92쪽 67

69쪽

문제로 개념을 확인해요

쓰기 다음 모양을 만들려면 모양 조각이 몇 개 필요한지 쓰세요.

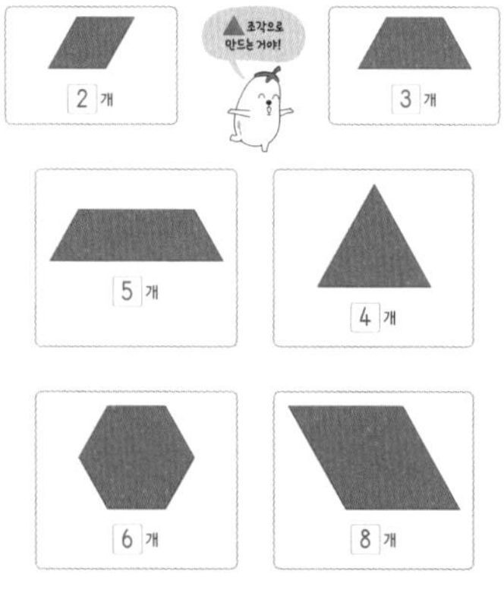

정답 92쪽 69

70쪽

문제로 개념을 확인해요

쓰기 다음 모양을 만들려면 모양 조각이 몇 개 필요한지 쓰세요.

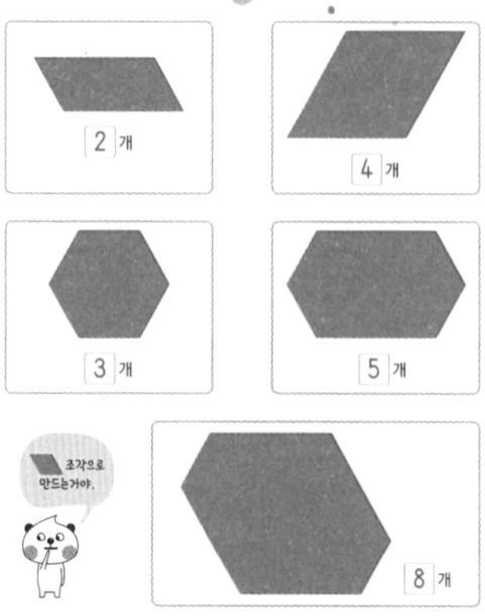

70 정답 92쪽

71쪽

문제로 개념을 확인해요

그리기 주어진 모양 조각을 사용하여 만든 다각형을 그리세요.

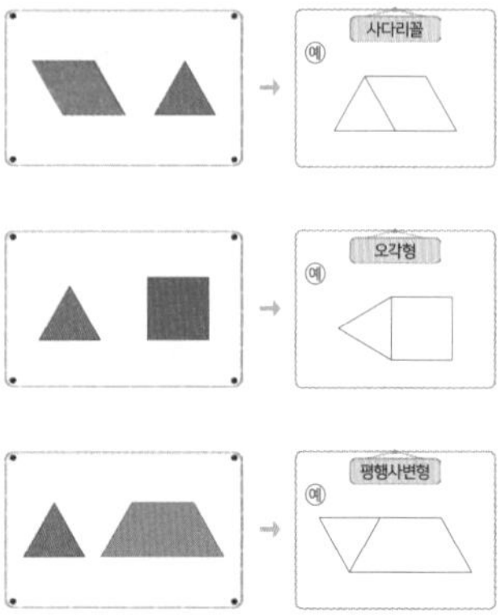

정답 92쪽 71

73쪽

문제로 개념을 확인해요

색칠하기

보기 에서 2가지 모양 조각을 골라 한 번씩만 사용하여 모양을 만들었습니다. 사용한 다각형을 모두 찾아 색칠하세요.

보기: 정삼각형, 정사각형, 평행사변형, 사다리꼴

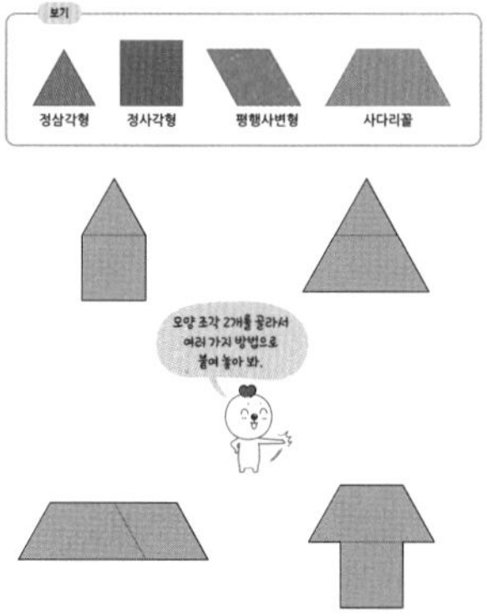

모양 조각 2개를 골라서 여러 가지 방법으로 붙여 놓아 봐.

정답 93쪽 73

74쪽

문제로 개념을 확인해요

색칠하기

다음 3가지 모양 조각을 사용하여 주어진 모양을 여러 가지 방법으로 채워 보세요.

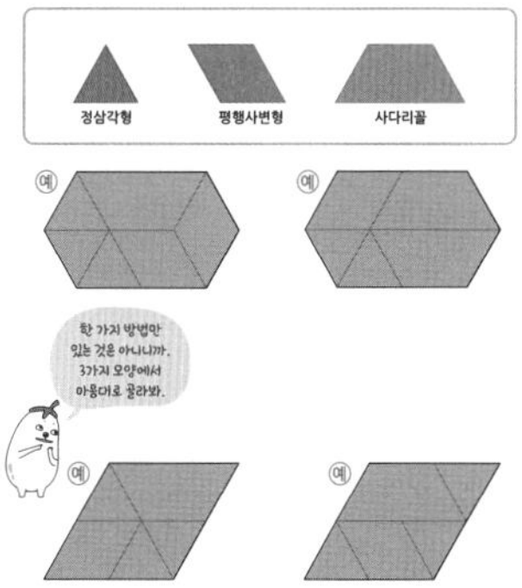

한 가지 방법만 있는 것은 아니니까, 3가지 모양에서 마음대로 골라봐.

74 정답 93쪽

75쪽

문제로 개념을 확인해요

색칠하기

다음 4가지 모양 조각을 사용하여 주어진 모양을 여러 가지 방법으로 채워 보세요.

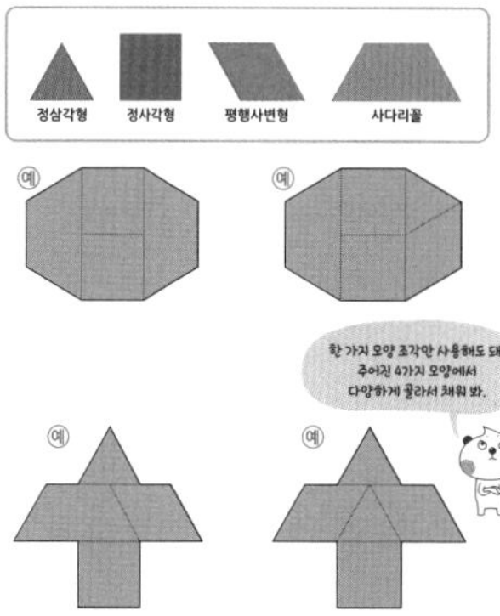

한 가지 모양 조각만 사용해도 돼. 주어진 4가지 모양에서 다양하게 골라서 채워 봐.

정답 93쪽 75

76쪽

05 그림과 글로 배워요

1 한 변이 4 cm인 정다각형이 있습니다. 이 정다각형의 모든 변의 길이의 합이 20 cm일 때, 정다각형의 이름을 쓰세요.

정다각형의 한 변의 길이: 4 cm

→ 정다각형의 변의 수를 ■라 하면 모든 변의 길이의 합: 4 × ■

모든 변의 길이의 합이 20 cm이므로 4 × ■ = 20입니다.

→ 정다각형의 변의 수는 5 입니다.

이 정다각형의 이름은 정오각형 입니다.

76 정답 93쪽

77쪽

2 사각형 ㄱㄴㄷㄹ은 정사각형입니다. 각 ㄱㄴㅇ의 크기는 몇 도인지 구하세요.

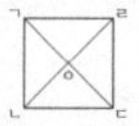

정사각형의 두 대각선이 만나서 이루는 각: 90°

→ 각 ㄱㅇㄴ = 90°

정사각형의 두 대각선이 만나서 생기는 변 ㄱㅇ, 변 ㄴㅇ은 길이가 같습니다.

→ 삼각형 ㄱㄴㅇ은 이등변 삼각형입니다.

이등변 삼각형에서 길이가 같은 두 변의 각의 크기도 같으므로

(각 ㄱㄴㅇ의 크기) = (각 ㄴㄱㅇ의 크기) = 90 ÷ 2 = 45° 입니다.

각 ㄱㄴㅇ의 크기는 45 °입니다.

정답 93쪽 77

78쪽

3 정육각형의 모든 각의 크기의 합을 구하세요.

조건 ① 정육각형은 정삼각형 6 개로 나눌 수 있습니다.

② 정삼각형의 한 각의 크기는 60° 입니다.

③ 정육각형의 한 각은 정삼각형의 두 각의 크기와 같으므로 120° 입니다.

풀이 정육각형의 모든 각의 크기가 같고, 각이 모두 6개이므로

정육각형의 모든 각의 크기의 합은 120 × 6 = 720° 입니다.

답 정육각형의 모든 각의 크기의 합은 720 °입니다.

4 집 주변에 한 변이 3 m인 정팔각형 모양의 울타리를 치려고 합니다. 울타리는 모두 몇 m인지 구하세요.

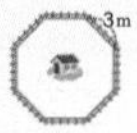

조건 ① 정팔각형의 한 변의 길이: 3 m

② 정팔각형의 변의 수: 8 개

풀이 정팔각형은 모든 변의 길이가 3 m로 같고, 변의 수가 8 개이므로

정팔각형의 모든 변의 길이의 합은 3 × 8 = 24 (m)입니다.

답 울타리의 길이는 24 m입니다.

78 정답 93쪽

79쪽

5 오른쪽 모양을 만드는 데 사용한 다각형을 모두 찾아 이름을 쓰세요.

조건 ① 사용한 다각형의 종류: 2 가지

② 다각형의 이름은 변 의 수에 따라 붙여 읽습니다.

풀이 ■ → 정사각형 ⬢ → 정육각형

답 오른쪽 모양을 만드는 데 사용한 다각형은 정사각형, 정육각형 입니다.

6 ▱ 모양 조각만을 사용하여 오른쪽 모양을 채우려면 모양 조각은 모두 몇 개 필요한지 구하세요.

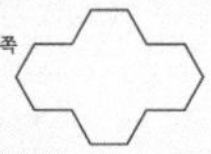

조건 ① 오른쪽 모양을 채울 때 필요한 모양 조각 수: ⬡ → 3 개

② 주어진 모양은 ①의 모양이 4 개입니다.

풀이 오른쪽 모양은 정육각형 4 개로 만들어진 모양이고, 정육각형은 평행사변형 3 개로 채울 수 있으므로 필요한 평행사변형의 수는 12 개입니다.

답 오른쪽 모양을 채우기 위해 필요한 모양 조각은 모두 12 개입니다.

정답 93쪽 79

80쪽

06 마무리 평가

❶ 다각형을 모두 찾아 기호를 쓰세요.

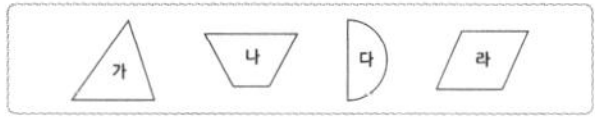

(가, 나, 라)

❷ 정다각형을 모두 찾아 기호를 쓰세요.

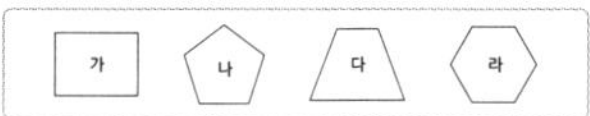

(나, 라)

☑ 다각형을 완성하세요.

❸ 사각형 ❹ 육각형

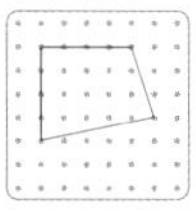

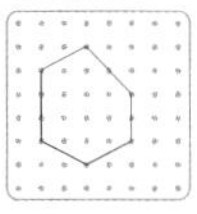

80 정답 93쪽

81쪽

표준 시간 20분 맞힌 개수 개

☑ 정다각형의 이름을 쓰고, 모든 변의 길이의 합을 구하세요.

❺

이름	정사각형
길이의 합	24 cm

❻

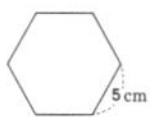

이름	정육각형
길이의 합	30 cm

❼ 두 대각선이 서로 수직으로 만나는 사각형을 찾아 기호를 쓰세요.

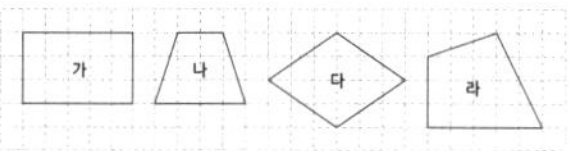

(다)

❽ 한 대각선이 다른 대각선을 똑같이 둘로 나누는 사각형을 모두 찾아 기호를 쓰세요.

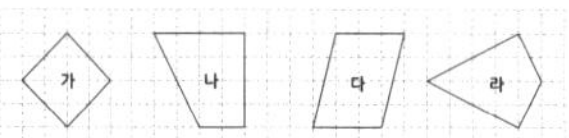

(가, 다)

정답 93쪽 81

수학 퍼즐 맛보기

논리 규칙

눈길 헤쳐 나가기

펭귄 페페가 눈송이들을 밟고
친구를 만나러 가는 길을 찾아 주세요.
단, 아래 작은 상자 속 그림의 순서대로
눈송이들을 지나가야 해요.

해답

브레인알파 「그림 퍼즐」 교재 내용입니다.

상장

이름 ____________

위 어린이는
4학년에게 꼭 필요한 도형을
스스로 열심히 마쳤습니다.

이에 칭찬하여 이 상장을 드립니다.

년 월 일